Éditions Usborne

Le grand livre du cheval et de l'équitation

Rosie Dickins et Gill Harvey
Maquette : Vicki Groombridge et Ian McNee

Photographies : Bob Langrish
Illustrations : Mikki Rain

Maquettiste en chef : Mary Cartwright
Rédactrices en chef : Philippa Wingate et Felicity Brooks
Avec la collaboration de Kit Houghton (photographies), Thomas Longdill
(illustrations), Cristina Adami (maquette) et John Russell, Martin Ford
et Mike Olley (manipulation photographique)

Pour l'édition française :
Traduction : Roxane Jacobs

Rédaction : Renée Chaspoul
et Anna Sánchez

SOMMAIRE

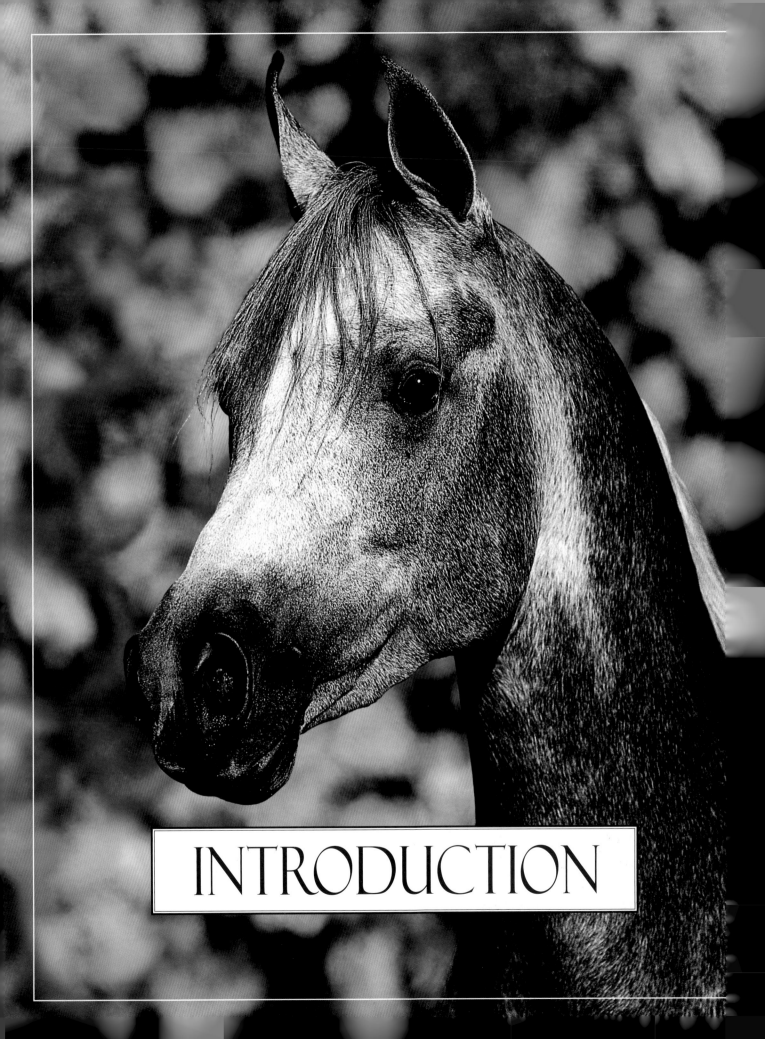

INTRODUCTION

À PROPOS DES CHEVAUX

Complexes et sensibles, les chevaux sont capables de nouer de véritables relations avec l'homme. Lorsqu'ils sont dressés, ils acceptent volontiers qu'on les monte, mais ils demandent aussi beaucoup de soins. Ce livre te fait découvrir le monde de l'équitation et les soins de base dont le cheval a besoin.

Le comportement du cheval

Les chevaux sont d'une nature timide. Ils guettent toujours le danger, ce qui les rend parfois nerveux. Leur vitesse est leur principal atout pour se défendre et ils fuient tout ce qui les effraie. Dans la nature, les chevaux vivent en troupeaux.

Si un cheval vit seul, au pré ou à l'écurie, il risque de se sentir très vulnérable. Le troupeau est gouverné par des règles de comportement strictes. Il y a un chef, et un ordre hiérarchique selon lequel certains chevaux obéissent à d'autres. En tant que cavalier, tu remplaces le chef de troupeau et ton cheval obéit à tes ordres.

La psychologie du cheval

À moins de recevoir des instructions claires, les chevaux ne peuvent pas comprendre ce qu'on attend d'eux. Ils sont toutefois dotés d'une excellente mémoire, aussi suivent-ils très bien les instructions. Cependant, les mauvaises habitudes se prenant aussi facilement que les bonnes, il faut encourager un bon comportement.

Les chevaux d'un troupeau vivent ensemble. Ils aiment la compagnie des autres et détestent en être séparés.

Tempérament et personnalité

Chaque cheval, chaque poney a son propre caractère. Si certains sont faciles et détendus, d'autres sont émotifs. Ceux qui occupent une place élevée dans l'ordre hiérarchique risquent d'être agressifs envers les autres. Il est toutefois rare de tomber sur un cheval vraiment « méchant ». L'agressivité envers l'homme résulte en général d'un mauvais traitement antérieur.

Voici un cheval qui défend sa position dans l'ordre hiérarchique par un comportement agressif.

Le langage corporel des chevaux

On apprend beaucoup sur le tempérament et sur l'humeur d'un cheval en observant son langage corporel : c'est-à-dire la position et les mouvements de son corps. Les chevaux communiquent entre eux grâce à ces signaux, qu'on apprend facilement à interpréter.

Lorsqu'un cheval est en colère ou très contrarié, il couche les oreilles et fouaille de la queue. S'il est effrayé et contracté, il rentre la queue entre les cuisses, comme le cheval ci-dessus.

Si un cheval est excité ou s'il s'intéresse à quelque chose, il maintient la queue en position haute, dresse les oreilles et arque l'encolure. Il arrive aussi qu'il secoue la tête et s'ébroue.

Un cheval détendu a un regard calme, les muscles décontractés. Parfois, il remue les oreilles pour écouter des bruits et repose un postérieur en s'appuyant sur les autres membres.

LES DIFFÉRENTES RACES

Que de variété ! Il existe environ deux cents races différentes de cheval, ainsi qu'une foule de types ou de croisements.

Les chevaux et les poneys

Les chevaux et les poneys appartiennent à la même espèce et le mot « cheval » peut également être utilisé pour désigner un poney. Néanmoins, un poney proprement dit ne doit pas mesurer plus de 1,47 m au garrot. Les chevaux sont plus grands et se distinguent par leur conformation. Certaines races, telles que l'Arabe, sont toujours appelées « cheval », quelle que soit leur taille.

Les races

Selon sa race, la taille, la puissance, la rapidité et le tempérament d'un cheval diffèrent. Chaque race est dotée de qualités distinctes qui la rendent apte à effectuer différentes tâches. Les poneys britanniques, tels que le Welsh de montagne et le Shetland, sont très prisés en équitation, car ils ont bon caractère et sont faciles à entretenir.

Les illustrations de cette page présentent certaines des plus célèbres races de chevaux et de poneys. Alors que le Falabella est presque un animal domestique, le Shire est utilisé pour des tâches agricoles et pour tirer de lourdes charges. La plupart des autres races sont destinées à être montées.

Pur-sang : race très rapide, souvent utilisée pour les courses

Arabe : race très ancienne, d'une grande beauté

Quarter horse : la plus prisée des races américaines

Andalou : célèbre race ancienne d'Espagne

Le Falabella ne dépasse jamais 76 cm.

Le Falabella est le cheval le plus petit du monde.

Le très puissant Shire compte parmi les chevaux les plus grands.

Welsh de montagne : poney très apprécié

Le Shetland est très résistant et fort par rapport à sa taille.

La description du cheval

Pour décrire un cheval, on mentionne en général son âge et son sexe. Avant un an, un cheval s'appelle un poulain. À un an, c'est un yearling. Jusqu'à quatre ans, on appelle le jeune mâle « poulain » et la femelle « pouliche ».

Au-delà de quatre ans, la femelle est appelée « jument », tandis que le mâle est un étalon. Toutefois, la plupart des mâles sont castrés (on leur enlève les testicules). En conséquence, ils deviennent plus maniables, mais ne peuvent plus s'accoupler. On les nomme alors « hongres ».

Les marques

Un cheval peut être décrit par les marques particulières qu'il porte sur la tête et les membres. Voici certaines marques courantes accompagnées de leur nom.

Ladre

Liste large

Étoile

Liste fine

Balzane à mi-boulet

Balzane au genou

Diverses robes

On peut aussi décrire un cheval par la couleur de sa robe. Voici certaines couleurs courantes et leur signification.

Gris

Blanc ou gris, plus clair avec l'âge

Alezan

Marron doré, y compris les crins

Bai brun

Marron et crins noirs

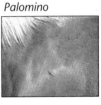

Noir

Robe et crins entièrement noirs

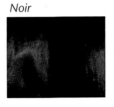

Palomino

Robe dorée, crins blancs

Pie-couleur

Robe blanche tachetée de couleur

Noir pie

Plus de couleur que de blanc

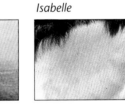

Isabelle

Café au lait, crins noirs

Rouan

Mélange de poils blancs et alezan

Voici des chevaux sauvages de Camargue

Les jeunes chevaux camarguais ont une robe foncée comme ces deux isabelles et le rouan.

Avec l'âge, les Camarguais deviennent gris comme cette jument.

LA CONFORMATION ET LES ALLURES

La conformation est le terme utilisé pour décrire la disposition des différentes parties du corps du cheval. L'allure est la manière dont un cheval se déplace. Les quatre allures de base sont le pas, le trot, le petit galop et le galop. En équitation western, le trot s'appelle le jog et le petit galop le lope.

Les parties du corps

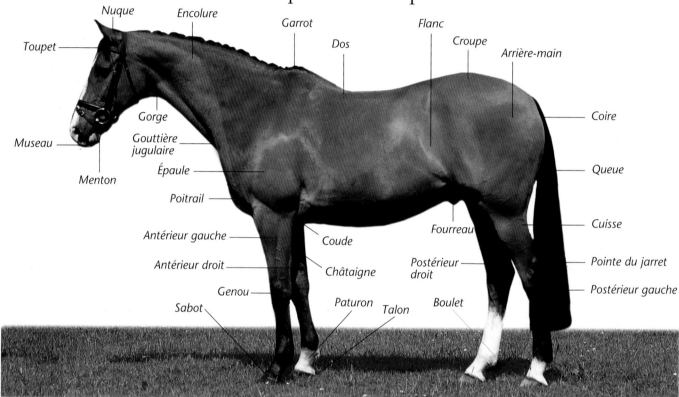

Apprendre les différentes parties du corps d'un cheval s'avère utile lorsqu'on veut décrire sa position ou ses mouvements. Par ailleurs, certains termes prêtent à confusion, par exemple lorsqu'on parle de la gauche et de la droite. Lorsque tu es en selle, la gauche et la droite du cheval correspondent à ta gauche et à ta droite. Mais si tu lui fais face, c'est l'inverse ! Apprends donc tous ces mots soigneusement.

Le pas

Le pas est la plus lente des allures. Il se décompose en quatre temps, ce qui signifie que tu peux compter « un-deux-trois-quatre » au rythme des foulées du cheval. Les quatre foulées sont égales et le cheval a toujours au moins un sabot au sol. La tête monte et descend légèrement.

L'ordre des foulées est le suivant : postérieur droit, antérieur droit, postérieur gauche, antérieur gauche.

Le trot ou le jog

Le trot est une allure cadencée et rythmique à deux temps. Tu peux donc marteler « un-deux, un-deux » au rythme des foulées du cheval. Les membres se déplacent par paires, un membre postérieur avec l'antérieur situé à la diagonale. L'espace d'un instant, les membres sont en suspension dans l'air avant de toucher terre. Puis le mouvement est répété par l'autre paire de membres.

Au trot, l'ordre des mouvements est le suivant : antérieur gauche, postérieur droit ; antérieur droit, postérieur gauche.

Le petit galop (canter) ou le lope

Le petit galop, ou lope, est une allure vive et sautée. Il comporte trois temps, suivis d'un « temps de suspension », lorsque aucun des membres ne touche le sol.

On dit que le cheval « mène » avec l'un des pieds antérieurs. Ce pied est légèrement avancé par rapport aux autres, et le cheval s'appuie sur lui à la fin de la foulée.

Antérieur qui mène.

Ce cheval mène avec l'antérieur droit. L'ordre des mouvements est : postérieur gauche ; postérieur droit et antérieur gauche simultanément ; antérieur droit, suivi d'un temps de suspension.

Le galop

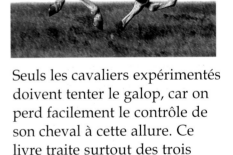

Seuls les cavaliers expérimentés doivent tenter le galop, car on perd facilement le contrôle de son cheval à cette allure. Ce livre traite surtout des trois autres allures.

Le galop est l'allure la plus rapide. Semblable au petit galop, le galop comporte pourtant quatre temps, car au lieu de poser deux membres au sol simultanément, le cheval les pose séparément. Il allonge sa foulée et le temps de suspension est un peu plus long.

LES STYLES D'ÉQUITATION

Il existe deux principaux styles d'équitation : l'équitation classique et l'équitation western. Chacune s'est développée dans diverses régions du monde, aussi le style adopté par les cavaliers dépend-il souvent du pays où ils vivent. Toutefois, chaque style est adapté à des activités particulières.

L'équitation classique

L'équitation classique a vu le jour en Europe et demeure pratiquée par la plupart des Européens. À l'origine, on dressait les chevaux afin qu'ils soient efficaces sur les champs de bataille. De ce fait, un style s'est développé qui permet d'obtenir du cheval qu'il effectue des mouvements précis et complexes à la demande du cavalier.

Pour obtenir une bonne assiette, le cavalier se tient bien droit et utilise l'équilibre plutôt que la poigne pour se maintenir en selle. Les rênes sont tenues à deux mains et les pieds du cavalier se trouvent dans les étriers. Ces derniers peuvent être chaussés courts : c'est le cas dans le saut d'obstacles, car ils aident le cavalier à se soulever de la selle.

Les chevaux « classiques »

Selon la discipline d'équitation classique, différentes races de chevaux sont utilisées. Les Lippizans sont utilisés pour l'équitation la plus sophistiquée, appelée « haute école », alors que les poneys britanniques servent souvent aux enfants qui apprennent à monter.

Voici un Lippizan de l'École espagnole de Vienne qui exécute une levade.

Ces cavaliers adhèrent à un poney-club qui encourage une monte classique correcte, mais qui propose également des activités de loisir.

L'équitation western

Introduite en Amérique par les conquistadores espagnols, l'équitation a évolué au fil des siècles. Aujourd'hui, le style western est bien établi. Les cow-boys devaient rester de longues heures en selle et être en mesure de rassembler le bétail et d'attraper des bêtes au lasso. Aussi une technique plus décontractée, permettant de tenir les rênes d'une seule main, a-t-elle vu le jour. Le cavalier se tient droit et chausse les étriers longs pour que les jambes tombent naturellement. Brides et selles ont aussi subi des modifications.

Le style western convient parfaitement aux tâches telles que le cutting (lorsqu'on sépare un bouvillon d'un troupeau).

Les chevaux « western »

Ce Mustang est un cheval western typique.

Pour monter western, la race du cheval importe peu, pourvu qu'il ait été dressé à cette fin. Certaines races, comme le Mustang (voir ci-dessus), sont mieux adaptées que d'autres à cette monte. Elles sont, dans l'ensemble, de petite taille, mais très puissantes et vigoureuses. Les Quarter horses et les Appaloosas sont aussi des races typiquement western.

L'utilisation des différents styles

Nombreux sont ceux qui pratiquent l'équitation classique simplement pour le plaisir, mais aussi en compétitions de saut, de pony games et de cross-country.

Le style western convient parfaitement aux longues randonnées et au trekking. C'est également le style prisé dans les rodéos, les jeux équestres et les parades à l'américaine.

Si l'on est accompagné par un cavalier compétent, il n'est pas nécessaire de posséder beaucoup d'expérience pour faire une telle randonnée.

Fais le tour du club avant de t'y inscrire.

OÙ PEUT-ON MONTER ?

Lorsque tu as choisi le genre d'équitation que tu désires pratiquer, il faut ensuite trouver le lieu où tu vas pouvoir le faire. En général, on se rend dans un poney-club ou dans un centre équestre.

Les cours d'équitation

Prendre des cours est un bon moyen d'apprendre à monter ou d'améliorer sa technique, et tu rencontreras par la même occasion d'autres personnes qui aiment les chevaux. Il est important de choisir une bonne école, alors renseigne-toi bien. Nous te conseillons d'opter pour une école agréée par la Fédération française d'équitation (FFE, voir page 144). Visite-la pour voir si elle est bien entretenue et comment se déroulent les cours.

Monter en extérieur

Se promener dans la campagne (voir pages 86-93), quelle que soit la distance ou le but (pur plaisir ou raid d'endurance), est une excellente façon d'améliorer sa technique. Tu peux partir en promenade depuis ton centre équestre ou ton écurie. Les centres équestres et les ranchs offrent la possibilité de faire du raid et du trekking. Encore une fois, mieux vaut que le centre soit agréé par la FFE ou qu'il te soit recommandé par quelqu'un.

Posséder un cheval

La plupart des cavaliers rêvent évidemment de posséder un cheval, mais c'est une grande responsabilité. Si cela te tente, assure-toi que tu sais bien à quoi tu t'engages. S'occuper d'un cheval n'est pas facile et de plus, cela coûte cher : en as-tu les moyens et disposes-tu du temps nécessaire ? Si tu ne t'es jamais occupé de chevaux, il est conseillé de travailler dans des écuries pour en apprendre plus et savoir ce que cela entraîne.

Une écurie bien gérée

Les bâtiments sont bien entretenus et l'intérieur des écuries est propre.

La cour est propre et bien rangée.

Les chevaux ont l'air bien soignés et en bonne santé.

L'ÉQUITATION CLASSIQUE

L'ÉQUIPEMENT

Pour apprendre l'équitation classique, ton cheval a besoin d'une selle et d'un harnachement adaptés, conçus pour favoriser l'adoption d'une bonne position par le cavalier. Tu peux te vêtir comme tu le désires tant que tu respectes les consignes de sécurité.

Têtière
Frontal
Sous-gorge
Montant
Muserolle française
Filet à anneaux coulissants
Rênes

Le filet (ou bridon)

Le filet se glisse sur la tête du cheval et te permet de le contrôler et de l'orienter. À priori, un cheval bien dressé n'a besoin que d'un simple filet doté d'un mors de filet et d'une muserolle française (voir ci-contre).

Différents bridons

Ce sont surtout le mors et la muserolle qui changent d'un filet à l'autre. Voici différents modèles de mors de filet.

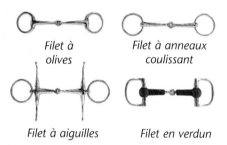

Filet à olives

Filet à anneaux coulissant

Filet à aiguilles

Filet en verdun

La muserolle française est la plus simple, mais la muserolle combinée et l'allemande sont aussi répandues ; elles empêchent le cheval d'ouvrir la bouche et de devenir incontrôlable.

Muserolle allemande

Muserolle combinée

La selle classique

La selle se pose sur le dos du cheval afin que tu puisses t'asseoir dessus. Il existe trois principaux modèles de selle classique : la selle anglaise mixte, la selle de dressage et la selle d'obstacles. En général, la selle mixte (ci-dessous) suffit et aide le cavalier à s'asseoir dans une position correcte. Elle est souvent placée sur un tapis doux, appelé tapis de selle, qui protège le dos du cheval et absorbe sa transpiration.

La sangle maintient la selle en place et doit être très solide. Elle peut être en cuir, en nylon ou à cordes de nylon.

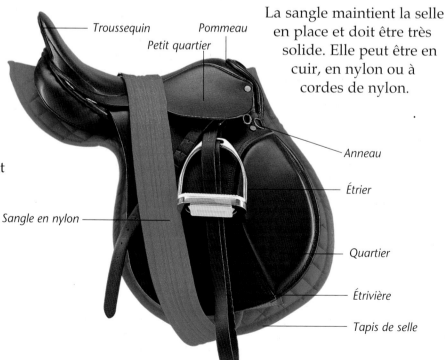

Trousséquin
Pommeau
Petit quartier
Anneau
Étrier
Quartier
Sangle en nylon
Étrivière
Tapis de selle

Les martingales et les surcous

La martingale est une pièce de harnachement qui empêche le poney de lever la tête trop haut et d'échapper à ton contrôle. Les deux modèles principaux sont les martingales fixe et à anneaux. Le surcou est une lanière de cuir qui s'attache autour de l'encolure du poney et auquel on peut s'agripper. Il est très utile pour un débutant ou en saut d'obstacle et fait partie des deux types de martingale.

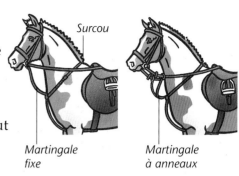

Surcou

Martingale fixe

Martingale à anneaux

La tenue

L'élément le plus important de la tenue est le casque, conforme aux normes de sécurité, et de la bonne taille (voir page 144). Il en existe deux modèles : la bombe et le casque, qui doivent comporter tous deux une mentonnière. Les casques offrent une meilleure protection.

Voici l'équipement adéquat

Casque

Une toque en soie pour habiller un casque

Boots

Il vaut mieux chausser des bottes ou des boots.

Bottes

Si tu as l'intention de faire de la vitesse ou de l'obstacle, il est prudent de porter un gilet de protection.

Des gants, pour empêcher que les rênes te glissent des mains.

La tenue décontractée

Il te faudra une paire de chaussures résistantes à petits talons et à semelles lisses. Les boots ou les bottes d'équitation sont idéales. Les baskets ou autres chaussures sans talons ne conviennent pas. Porte un tee-shirt confortable et ample. Le jodhpur et la culotte protègent les jambes de la friction. Ce sont les pantalons les plus confortables, mais tu peux également porter un caleçon, un pantalon stretch ou un jean. Toutefois, évite les pantalons larges ou à pattes d'éléphant.

La tenue habillée

La tenue habillée (les vêtements que tu porterais en compétition par exemple) varie selon l'activité. Dans la plupart des cas, on porte un jodhpur ou une culotte, des boots ou des bottes, une chemise, une cravate et une veste d'équitation élégante.

Tenue décontractée

Cette tenue conviendrait à une compétition de dressage.

Les mini-chaps se portent par-dessus le pantalon ou le jean. Elles sont bon marché et protègent les jambes des frottements.

Ces bottes ont un petit talon, ce qui empêche les pieds du cavalier de glisser à travers l'étrier.

COMMENT HARNACHER

Harnacher un cheval signifie lui mettre un filet et une selle. Il est important de savoir le faire correctement. Il faut aussi savoir retirer le harnachement.

Tiens bien la selle, comme sur l'illustration. Si tu la fais tomber, tu risques de casser l'arçon (armature interne).

Comment porter le harnachement

Lorsque le filet se trouve encore suspendu au crochet, défais la sous-gorge et la muserolle, puis glisse le filet et les rênes sur ton épaule. Enlève la selle et le tapis de selle de leur support respectif et porte-les sur un bras.

Comment seller un cheval

La selle doit reposer sur le creux du dos.

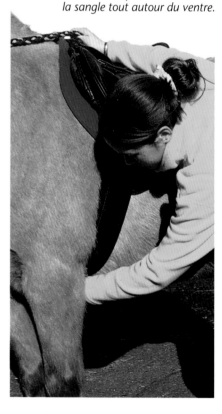

Vérifie le bon positionnement de la sangle tout autour du ventre.

1. D'abord, attache ton cheval. En l'abordant par la gauche, place selle et tapis de selle sur l'encolure, au-dessus du garrot. Puis fais-les glisser sur le dos.

2. Place la main sous la partie bombée à l'avant de la selle et tire sur le tapis pour l'ajuster. Il ne doit pas faire de faux plis sous les quartiers de selle.

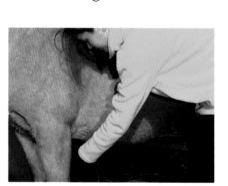

3. Laisse pendre la sangle du côté droit. Ensuite, en te positionnant du côté gauche du cheval, passe le bras sous son ventre et saisis-la.

4. Attache les contre-sanglons sans serrer : il suffit de maintenir la selle en place. Tu les serreras lorsque tu seras prêt à monter.

5. Enfin, glisse une main sous la sangle afin de vérifier qu'elle ne pince pas la peau de ton cheval. Tu dois le faire de chaque côté.

Mettre le filet

1. Glisse le filet et les rênes sur la tête de ton cheval. À l'aide de ta main libre, passe les rênes par-dessus ses oreilles et sur son encolure.

2. Place le mors délicatement entre ses lèvres. S'il ne l'accepte pas, fais pression avec ton pouce sur les commissures des lèvres. Veille à ne pas cogner ses dents.

3. Glisse la têtière par-dessus les oreilles du cheval, puis fais passer son toupet par-dessus le frontal. Attache la sous-gorge et la muserolle.

Prêt à monter en selle

Lorsque tu es prêt à monter en selle, serre les contre-sanglons (pas plus d'un cran à la fois). S'il y a plusieurs contre-sanglons, serre-les autant les uns que les autres. Puis fais glisser les étriers au bas des étrivières.

Assure-toi que les contre-sanglons sont suffisamment bien serrés en tirant dessus.

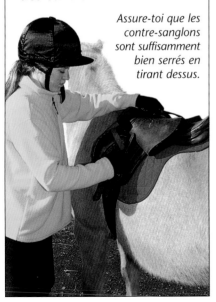

Comment desseller

1. Commence par remonter les étriers. Fais glisser l'étrier jusqu'à la boucle située sous le petit quartier, puis passe l'étrivière dans l'étrier.

2. Défais la sangle, sans la laisser tomber, pour qu'elle ne cogne pas la jambe du cheval. Glisse une main sous le pommeau et l'autre sous le troussequin.

3. Enlève doucement la selle du dos du cheval. Tout en la faisant glisser vers toi, attrape la sangle et replie-la par-dessus la selle.

4. Pour enlever le filet, détache la muserolle et la sous-gorge. Ramène les rênes vers la têtière, puis fais-les passer par-dessus les oreilles du cheval.

SE METTRE EN SELLE

En équitation classique, il existe plusieurs méthodes pour monter sur un cheval. Outre la méthode de base, décrite ci-après, on peut monter à la courte échelle ou utiliser un montoir. Tu devras apprendre la méthode de base, même si tu ne t'en sers pas toujours, pour les fois où tu devras monter sans aide.

Cette cavalière rentre le pied dans l'étrier afin de monter suivant la méthode de base.

Méthode de base

Ne t'agrippe pas au trous.sequin, car cela peut endommager l'arçon.

Place-toi sur la gauche de ton cheval, le corps tourné vers sa queue. Tiens les rênes de la main gauche puis, de la main droite, tourne l'étrier vers toi. Glisses-y le pied gauche.

Pose la main droite au centre de la selle. Prends ton élan et hisse-toi en poussant sur la jambe droite. Passe celle-ci par-dessus le dos du cheval, en faisant attention.

Essaie de t'asseoir doucement en selle, afin de ne pas faire mal au cheval. Une fois en place, glisse le pied droit dans l'étrier et saisis les rênes à deux mains.

Avec de l'aide

Face à la selle, plie le genou gauche. Ton assistant tient ton genou et ta cheville.

Tu prends ton élan et ton assistant te soulève par la jambe pour t'aider à te hisser en selle.

Utiliser un montoir

Positionne ton cheval de manière que son épaule soit à côté du montoir.

Prends place sur le montoir, puis mets-toi en selle en utilisant la méthode de base.

Vérification de la sangle

Une fois en selle, tu dois à nouveau vérifier la sangle. Tiens les rênes dans la main droite et avance la jambe gauche au-delà de la selle.

Soulève le quartier de selle, du côté gauche. Puis tire les contre-sanglons vers le haut, en ajustant les boucles. Si tu ne te sens pas en sécurité, demande à ce que quelqu'un tienne ton cheval.

Ajuster les étrivières

Pour connaître la longueur correcte des étrivières, dégage le pied de l'étrier. Ce dernier devra atteindre ta cheville lorsque tu détends la jambe.

Pour ajuster la longueur d'une étrivière, maintiens le pied dans l'étrier et écarte la jambe du quartier de selle. Tire vers le haut la lanière supérieure, puis ajuste la boucle. Tire sur la lanière du dessous, afin de remettre la boucle en place.

Descendre de cheval

Comme pour monter, la tradition veut que l'on descende sur la gauche, toutefois tu peux descendre à droite si cela te paraît plus pratique.

Pour descendre à gauche, dégage tes pieds des étriers. Tiens les rênes de la main gauche pour empêcher le cheval d'avancer. Penche-toi sur le pommeau et fais passer ta jambe droite doucement par-dessus le dos du cheval. Maintiens-toi à l'aide de tes bras, puis saute à terre en te réceptionnant sur les deux pieds.

Prends garde à ne pas frôler le dos de ton cheval avec ta jambe.

LA POSITION CORRECTE

Une fois en selle, il faut apprendre à se tenir correctement. Lorsque tu as adopté la bonne position, tu peux détendre tes muscles et suivre les mouvements du cheval. C'est plus agréable pour toi, mais aussi pour ton cheval.

La tenue des rênes

Les rênes doivent passer entre l'auriculaire et l'annulaire, puis entre l'index et le pouce. Tiens-les avec le pouce par-dessus les rênes, les paumes l'une en face de l'autre. Laisse les extrémités des rênes tomber d'un côté de l'encolure (habituellement du côté gauche).

Une mauvaise tenue des rênes

Toutes ces positions rendront tes mains moins flexibles et tu auras plus de mal à contrôler ton cheval.

Paumes vers le haut　　*Mains recourbées*

Mains trop serrées　　*Mains ouvertes*　　*Paumes vers le bas*

Rallonger et raccourcir les rênes

Pour rallonger les rênes, fais-les glisser doucement entre tes doigts légèrement ouverts.

Pour les raccourcir, tiens les deux rênes dans une main. Fais glisser la main libre le long d'une rêne.

Transfère les rênes à cette main. Répète l'opération de l'autre côté, pour raccourcir l'autre rêne.

Une fois que les rênes sont de la même longueur, tu dois les tenir correctement.

Le corps et les jambes

La façon dont tu es assis dans la selle s'appelle l'assiette. Acquérir une bonne assiette est essentiel lorsqu'on apprend à monter.

Assieds-toi dans la partie creuse de la selle en décontractant tous tes muscles, mais en gardant le dos bien droit et les épaules carrées.

La plante des pieds repose sur les étriers, les talons légèrement baissés. Si tu regardes, tu ne dois voir que la pointe de tes pieds.

Si tu pouvais tracer une ligne imaginaire de la tête au pied d'un cavalier, elle partirait de l'oreille, passerait par l'épaule, puis la hanche, et finirait au talon.

La position des bras

Normalement, le mors, ton poignet et ton coude sont dans le même alignement. Tes coudes doivent rester près du corps, mais ne doivent être ni raides ni figés. Les bras doivent épouser les mouvements du cheval, en avant et en arrière, sans jamais s'écarter du corps.

Tes mains doivent sentir le contact avec la bouche du cheval.

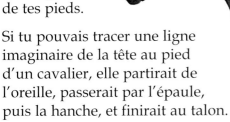

Tes jambes sont en contact avec les flancs du cheval, mais ne les serrent jamais.

Défauts courants

Cette cavalière se tient trop en arrière dans la selle, et ses jambes sont trop en avant. Cette position rend l'équilibre difficile.

Ici, le corps de la cavalière est trop penché en avant. Elle est perchée sur la selle, plutôt que bien assise.

Cette cavalière ne se tient pas droite. Ses pieds sont enfoncés trop loin dans les étriers et ils pointent vers le sol.

Cette cavalière a l'air raide et mal à l'aise. Ses bras sont beaucoup trop haut, elle a donc du mal à se tenir droite.

LES AIDES

Les intermédiaires utilisés pour donner des instructions à ton cheval s'appellent les aides. Il en existe deux catégories : les aides naturelles, c'est-à-dire les jambes, l'assiette, les mains, la voix, et les aides artificielles, qui comprennent cravache et éperons. Lorsqu'on apprend, on n'a besoin que des aides naturelles.

À propos des aides naturelles

L'utilisation des aides est le moyen pour un cavalier de communiquer avec sa monture. Un cavalier expérimenté, dont la monture est bien dressée, peut utiliser les aides d'une façon très discrète.

Toutefois, un débutant aura tendance à donner des instructions contradictoires ou peu claires : ne t'impatiente pas si le cheval n'obéit pas tout de suite. Il ne les a peut-être pas bien comprises.

Les mains de la cavalière dirigent et contrôlent le cheval.

Cette cavalière utilise ses mains, son assiette et ses jambes pour diriger son cheval. Elle pourrait aussi utiliser sa voix pour renforcer ses aides.

À l'aide de sa position sur la selle, cette cavalière renforce les instructions données par ses jambes et ses mains.

Les jambes aident le cheval à s'orienter. Elles peuvent aussi servir à accélérer l'allure.

L'utilisation des mains

Tes mains doivent rester au contact constant de la bouche du cheval par l'intermédiaire des rênes. Si tu augmentes ou diminues la pression, le cheval pensera que tu modifies tes instructions. Pour cette raison, essaie de garder les mains immobiles, sauf pour suivre le mouvement de ton cheval.

Les mains de cette cavalière sont dans une position stable.

Le cheval accepte le contact avec sa bouche et se tient prêt à réagir aux nouvelles instructions.

L'utilisation de l'assiette

Au début, tu ne te rendras peut-être pas compte que ta position en selle agit sur ton cheval. En général, si tu t'enfonces dans la selle, il ralentit. Mais si tu te relèves, il a tendance à aller plus vite. Si tu te penches d'un côté ou bien si tu es tendu, ta monture le sentira.

Ce poney commence à échapper au contrôle de la cavalière : elle s'enfonce dans la selle pour tenter de le ralentir.

Ici, la cavalière contrôle le galop du poney : elle peut se tenir légèrement en selle.

Les jambes

À l'aide des jambes, tu peux donner différentes instructions à ton cheval selon l'endroit où tu appliques la pression. Les deux positions principales sont « sur la sangle » et « derrière la sangle ».

Cette jambe est sur la sangle. Cette position donne généralement de l'impulsion.

Pour une aide sur la sangle, garde les jambes dans la même position et serre-les, ou donne un léger coup de talon.

Cette jambe est derrière la sangle. Une aide derrière la sangle sert à contrôler l'arrière-main du cheval.

Pour une aide derrière la sangle, recule la jambe de quelques centimètres avant de serrer ou de donner un coup de talon.

La voix

La voix est utile pour renforcer les autres aides, mais ne compte pas trop dessus. Une voix aiguë et entraînante fait accélérer le cheval. Une voix plus grave, des mots prononcés lentement, le calment. Claque la langue pour le faire avancer, dis « ho, là » pour le ralentir et « Non ! » sur un ton sévère pour le gronder.

LE PAS ET L'ARRÊT

On appelle transitions les changements d'allure, par exemple quand un cheval passe de l'arrêt au pas et s'arrête de nouveau. Pour chaque transition, un cheval est dressé à reconnaître une série d'aides.

De l'arrêt au pas

Pour que le cheval se mette au pas, assure-toi que tu es correctement assis dans la selle. Puis serre les jambes au niveau de la sangle.

Lorsqu'il avance au pas, relâche les jambes, et décontracte tes mains et tes coudes pour qu'ils accompagnent le mouvement de la tête de ton cheval.

Du pas à l'arrêt

Pour demander à ton cheval de s'arrêter, raccourcis légèrement les rênes et enfonce-toi bien dans la selle pour que ton poids résiste au mouvement du cheval plutôt que de l'accompagner.

Augmente le contact des rênes jusqu'à ce que le cheval ralentisse. Garde les jambes contre ses flancs mais sans serrer. Il doit s'arrêter, les quatre membres au carré.

Position au pas

Au début, ton corps risque de se contracter et tu t'agripperas alors aux rênes pour t'équilibrer. Essaie de retrouver la position correcte, décontractée et droite, que tu avais adoptée à l'arrêt.

Écoute le rythme des pas de ton cheval (« un-deux-trois-quatre »). Détends ton bassin pour épouser ce mouvement rythmé.

La cavalière se tient droite mais demeure souple au niveau du bassin, ce qui lui permet d'accompagner le mouvement de va-et-vient du cheval.

Donner de l'impulsion

Certains chevaux ont tendance à « traîner » lorsqu'ils en ont l'occasion. Si c'est le cas du tien, il faut lui demander d'avancer avec plus d'impulsion (énergie). Vérifie d'abord tes rênes.

Si elles sont trop longues, tu manqueras de contrôle : dans ce cas, raccourcis-les. Puis donne un petit coup de jambe au niveau de la sangle. Lorsque ta monture obéit, relâche les aides.

Ce poney commence à traîner. La cavalière doit utiliser les deux mains et les deux jambes pour capter son attention.

Ce cheval répond bien aux aides et avance avec énergie.

Améliorer son assiette

Une fois que tu te sens stable et à l'aise en selle, croise les étrivières par-dessus le garrot de ton poney. Étire les jambes et redresse-toi. Lorsque tu rechausseras les étriers, tu t'apercevras peut-être qu'ils sont trop haut. Si c'est le cas, rallonge les étrivières d'un cran ou deux.

Le fait de monter sans étriers améliore l'équilibre du cavalier.

TOURNER

Les cavaliers débutants font généralement
tourner leur cheval dans le but de changer
de direction. Les cavaliers plus expérimentés
tournent ou font des cercles pour améliorer
leur technique. C'est aussi un moyen
d'améliorer l'équilibre et la souplesse
d'un cheval.

Terminologie

Lorsque tu tournes, il est
important de constater que
« l'intérieur » et « l'extérieur »
de la courbe changent selon le
sens de l'incurvation. Lorsque
tu tournes dans le sens des
aiguilles d'une montre, tu es
« à main droite ». Lorsque tu
tournes en sens contraire, tu
es « à main gauche ».

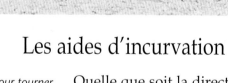

Les aides d'incurvation

*Pour tourner
correctement,
comme ceci, la
cavalière utilise
les jambes ainsi
que les mains.*

Quelle que soit la direction que tu veux
prendre, tourne légèrement la tête et les
épaules dans le sens voulu, tout en
gardant le dos bien droit.

Pour tourner à droite, recule la jambe
extérieure (gauche) derrière la sangle. Ne
déplace pas la jambe intérieure (droite),
mais serre légèrement. Avec la main
intérieure (droite), serre la rêne et plie
légèrement le poignet pour augmenter
le contact. Conserve un contact ferme
avec la main extérieure (gauche). Pour
tourner à gauche, inverse les aides.

L'incurvation : le mécanisme

Lorsque ton cheval tourne correctement, son corps épouse la forme d'un cercle imaginaire. Vues de haut, la tête et l'encolure ne sont pas plus courbées que le reste du corps. Si une partie du corps se trouve à l'extérieur du cercle imaginaire, le cheval n'est pas en équilibre.

Pour réaliser une incurvation correcte, comme celle-ci, il a besoin d'aide et d'instructions. C'est pourquoi on utilise les mains et les jambes.

La main intérieure serre légèrement la rêne afin de diriger la tête et l'encolure dans la bonne direction.

Le contact sur la rêne extérieure empêche le cheval de tourner la tête trop loin et permet au cavalier de garder le contrôle.

La jambe intérieure, placée à hauteur de la sangle, indique au cheval de tourner et lui donne l'impulsion nécessaire.

La jambe extérieure, placée derrière la sangle, stabilise et guide l'arrière-main du cheval.

Erreurs courantes

Le cavalier se penche dans le sens de la courbe. C'est une position qui déséquilibre le cheval et empêche le cavalier d'utiliser la jambe extérieure avec efficacité.

Les rênes sont trop longues et le bras intérieur du cavalier est écarté de son corps. Donc, le poney résiste et refuse de s'incurver correctement.

Les cercles

Lorsqu'on change de direction, on utilise les aides, puis on les relâche lorsque le cheval a tourné. Pour réaliser un cercle, il faut continuer à appliquer les aides. Commence par faire de grands cercles, car ils sont plus faciles à réaliser (aussi bien pour toi que pour ta monture).

LE TROT

Au trot, on rebondit sur la selle, ce qui ne te paraîtra sans doute guère confortable au début. Pour t'y habituer, tu devras apprendre à te décontracter et à accompagner le mouvement de ta monture. C'est l'une des meilleures façons d'améliorer ton assiette.

Cette cavalière exécute un trot assis, bien équilibrée.

Le trot assis et le trot enlevé

Il existe deux types de trot. Lorsqu'on s'enfonce dans la selle et qu'on détend les muscles pour suivre le mouvement de la monture, on pratique le trot assis. Lorsqu'on se soulève de la selle au rythme des mouvements du cheval, on pratique le trot enlevé (voir page 30).

Le trot assis est plus difficile à maîtriser que le trot enlevé, car il faut une bonne assiette pour éviter les rebonds. Mais si l'on songe qu'à chaque transition du pas au trot, il faut rester assis pendant les premières foulées, on comprend pourquoi tout cavalier doit travailler le trot assis.

Du pas au trot

Avant de demander au cheval de partir au trot, fais porter le poids de ton corps sur le creux de la selle et raccourcis les rênes légèrement. Tu n'en maîtriseras que mieux ton cheval, et tu le préviendras que tu vas lui demander de passer au trot.

Pour passer au trot, garde les jambes à hauteur de la sangle et exerce une pression. Lorsque ta monture se met au trot, relâche les jambes : si elle ne répond pas, exerce une nouvelle pression plus forte jusqu'à ce qu'elle se mette au trot.

Le trot assis

Au trot assis, on adopte une position similaire à celle du pas. Détends-toi, redresse-toi et ne bouge pas les jambes. Essaie de détendre les muscles situés au creux du dos, car cela t'aidera à épouser les mouvements du cheval. Au trot, tête et encolure restent dans la même position, c'est pourquoi tes mains doivent être souples mais stables.

— Creux du dos

Du trot au pas

Même si tu as pratiqué le trot enlevé (voir page suivante), il faut toujours repasser par le trot assis pour se remettre au pas. Enfonce-toi bien dans la selle. Tâche d'immobiliser tes hanches afin de résister au mouvement du trot, plutôt que de l'épouser. Garde les jambes près des flancs du cheval. Plie les poignets vers toi afin d'augmenter le contact sur les rênes. À mesure que ta monture ralentit, relâche le contact et détends-toi.

Problèmes de position

Une réaction naturelle aux secousses consiste à se raidir. Toutefois, la contraction des muscles ne fait qu'aggraver l'inconfort en selle.

Lorsqu'on est secoué, il est très difficile de trouver un bon équilibre et on risque de se pencher trop en avant ou trop en arrière. On risque par ailleurs de distendre les rênes ou de tirer trop fort dessus.

Cette cavalière est crispée. Par conséquent, elle est en déséquilibre : elle se penche vers l'avant et se tient en dehors de la selle.

Pour essayer de remédier à ces problèmes, détends les muscles fessiers, ainsi que les reins, et baisse les talons.

Pour améliorer ton équilibre et éviter de t'agripper aux rênes, tiens le pommeau, la crinière du cheval ou un collier d'une main. Tiens les rênes courtes afin de ne pas perdre le contrôle de ta monture.

LE TROT ENLEVÉ

La plupart du temps, on préfère le trop enlevé au trot assis, car cela fatigue moins le dos du cheval. Une fois l'habitude prise, tu trouveras le trop enlevé plus facile que le trot assis.

Cette cavalière, qui monte dans un manège, adopte le trot enlevé.

Au départ

Lorsque ton cheval se met au trot, adopte le trot enlevé après quelques foulées.

Pour reconnaître le moment propice, écoute le rythme régulier des pas de ton cheval (« un-deux-un-deux »). Tu trouveras peut-être utile de te le réciter au rythme des battues. Sur le premier temps, laisse alors le mouvement naturel du trot te pousser vers le haut, et légèrement vers l'avant.

Sur le deuxième temps, fais mine de t'asseoir. Évite de retomber lourdement – tu ne devras qu'effleurer la selle avant de te lever à nouveau.

Cette cavalière fait une démonstration d'un trot enlevé bien en rythme.

Pour réussir le trot enlevé, il faut se détendre et suivre le rythme. Garde le dos droit et les mains stables.

Le mouvement vertical vient des genoux. Essaie d'immobiliser le bas de tes jambes et de conserver leur position habituelle.

Le mouvement vertical est assez doux. Pour une bonne part, ce sont les foulées du cheval qui poussent le cavalier vers le haut.

Améliorer son équilibre

Au début, le seul fait de te hisser en dehors de la selle risque de te déséquilibrer. Cela entraîne souvent un des problèmes ci-dessous. Mieux vaut passer un collier au cheval et t'y accrocher, plutôt que de t'agripper aux rênes. Tu peux aussi tenir les rênes d'une main et le pommeau de l'autre. Mais ne te sers pas de ton bras comme d'un levier pour te hisser au-dessus de la selle.

Ici, la cavalière se lève trop haut.

Cette cavalière a reculé ses jambes. De ce fait, ses pieds pointent vers le bas.

Ce cavalier bascule le poids du corps vers l'arrière : il a du mal à se soulever.

Si le fait de te hisser hors de la selle te demande beaucoup d'effort, c'est que tu montes trop haut. Essaie de te décontracter. Il est inutile de te soulever excessivement.

Peut-être te penches-tu trop en avant. En conséquence, il est difficile de maintenir les jambes en position. Essaie de garder le dos droit et les talons baissés.

Si tu retombes toujours trop loin en arrière, peut-être tes étriers sont-ils mal réglés. Ajuste-les, puis tente de faire porter le poids du corps vers l'avant.

Donner de l'impulsion à son cheval

Même le plus patient des chevaux risque d'être déséquilibré par un cavalier qui rebondit sur son dos. Par conséquent, il risque de lui résister et son trot perdra de son impulsion. Mais il est difficile d'utiliser ses jambes comme des aides lorsqu'on pratique le trot enlevé.

L'astuce consiste à utiliser les jambes seulement sur le deuxième temps (« assis »). À mesure que tu t'y habitueras, tu t'apercevras que tu peux rapidement serrer les flancs du cheval chaque fois que tu retombes en selle. Cette action dynamisera son trot sans pour autant perturber ton rythme.

Ce poney répond aux aides de sa cavalière par un trot énergique.

COMMENT PROGRESSER

Il est utile de beaucoup travailler le trot, car c'est l'allure qui convient le mieux à l'amélioration de l'équilibre et de l'assiette. Travaille trot assis et trot enlevé.

Ce cheval et sa cavalière pratiquent un trot enlevé bien équilibré.

Choisir sa diagonale

Cette cavalière trotte sur la diagonale gauche.

Elle s'assied lorsque l'antérieur gauche recule.

Elle se soulève lorsque l'antérieur gauche avance.

Lorsqu'un cheval trotte, ses membres se déplacent par paires, appelées diagonales. Si tu te soulèves et que tu retombes toujours sur la même diagonale, ton cheval deviendra beaucoup moins souple d'un côté que de l'autre. Pour savoir sur quelle diagonale tu trottes, pose la main sur l'une des épaules du cheval : quelle épaule avance quand tu te soulèves ? S'il s'agit de l'épaule gauche, tu trottes sur la diagonale gauche ; s'il s'agit de la droite, tu es sur la diagonale droite. Pour changer de diagonale, reprends le trot assis le temps d'une battue, puis soulève-toi à nouveau.

Les cercles au trot

Il est difficile d'effectuer des cercles au trot avant d'être confiant en selle. Cet exercice implique en effet de fournir au cheval des aides à l'incurvation logiques (voir pp. 26-27) avec la jambe extérieure (derrière la sangle) et la jambe intérieure (sur la sangle), tout en conservant un bon équilibre et une bonne maîtrise de l'animal. Essaie de le faire au trot assis, il est plus facile de maintenir sa position.

Cette cavalière monte au trot enlevé à main droite et sur la diagonale gauche.

Au trot enlevé, commence par réaliser de grands cercles (c'est plus facile). Fournis les aides avec les mains et les jambes tout en restant bien stable.

L'équilibre du cheval est respecté si tu te soulèves lorsqu'il avance l'antérieur extérieur. Mets-toi sur la diagonale gauche si tu es à main droite (sens des aiguilles d'une montre), et vice versa.

Applique les aides des jambes constamment, ou du moins chaque fois que tu te rassois. Cela demande de l'entraînement, car il faut toujours garder la jambe extérieure en position.

Le trot sans étriers

S'entraîner au trot assis sans étriers est une excellente façon d'améliorer son assiette. Croise les étrivières par-dessus le garrot du poney. Une fois au trot, étire les jambes et détends les muscles fessiers.

Ne trotte sans étriers que pour de courtes durées, car c'est fatigant, et pour toi et pour ton cheval.

Garde une bonne cadence, comme cette cavalière. Mais ne laisse pas ton cheval se précipiter : il risquerait d'être déséquilibré.

LE PETIT GALOP (CANTER)

Apprendre le petit galop peut être une expérience angoissante, car c'est une allure beaucoup plus rapide. Mais il est relativement facile de s'y habituer, car le rythme à trois temps est plus confortable.

Le petit galop est une allure excitante.

Du trot au petit galop

Au petit galop, un antérieur (ou un pied) mène le mouvement (voir pp. 8 et 9) : il faut donner des aides précises pour demander au cheval de mener sur tel pied. Si tu avances en ligne droite, tu choisis le gauche ou le droit. Si tu fais un cercle, le cheval doit mener avec le pied qui correspond au sens du mouvement (gauche, si tu es à main gauche).

Les aides

Avant de demander le petit galop, pratique un trot régulier et équilibré. S'il le faut, reprends le trot assis. Recule la jambe extérieure derrière la sangle, garde la jambe intérieure sur la sangle et exerce une pression. Le cheval doit aborder un petit galop sur le bon pied (intérieur).

Au petit galop, le premier pas est effectué par le postérieur extérieur (comme illustré ici). C'est pourquoi la jambe extérieure est derrière la sangle.

Le cheval est plus susceptible de démarrer le petit galop sur le bon pied si tu le demandes au début d'un virage. Il doit fournir plus d'effort pour démarrer sur l'antérieur extérieur lorsqu'il tourne.

Terminologie

Lorsque tu tournes dans le sens des aiguilles d'une montre, tu es à main droite (voir page 26), et on dit que ton cheval mène avec le pied droit. Dans le sens contraire, à main gauche, ton cheval mène avec le pied gauche.

Position au petit galop

Ta position au petit galop est identique à celle adoptée au pas. Tiens-toi droit, bien enfoncé dans la selle. Décontracte les muscles du bassin et du bas du dos : laisse tes hanches épouser le mouvement balancé. Le va-et-vient de la tête et de l'encolure du cheval est plus prononcé, donc tes coudes doivent rester décontractés et souples, ce qui t'évitera d'imprimer des coups secs sur les rênes.

Cette cavalière a une position confortable, équilibrée et sûre.

Défauts de position courants

Il est tentant de se pencher en avant et de s'agripper au cheval avec les genoux et les cuisses. Ton contrôle s'en ressent et tu risques de l'encourager à accélérer. Redresse-toi et détends les cuisses.

Tu peux te sentir dépassé par les mouvements de ton cheval, et laisser tes jambes glisser vers l'avant. Si c'est le cas, il faut déplacer le poids du corps vers l'avant, s'installer au creux de la selle et raccourcir les rênes.

Une autre erreur courante consiste à laisser les jambes se balancer d'avant en arrière au rythme du mouvement du cheval. Cela peut te déséquilibrer : pense donc à immobiliser tes jambes.

Du petit galop au trot

Cette cavalière passe du petit galop au trot.

Elle contracte les muscles fessiers et augmente le contact avec les rênes.

Le cheval répond aux aides en ralentissant au trot.

Afin de ralentir pour passer au trot, contracte les muscles fessiers pour contrarier le mouvement et prévenir le cheval que tu veux qu'il ralentisse. Referme les doigts autour des rênes et plie les poignets pour augmenter le contact. S'il ne répond pas tout de suite, répète les aides avec plus d'insistance. Dès qu'il se met au trot, détends les muscles fessiers et les mains.

LE PETIT GALOP (SUITE)

Effectuer en douceur et sur le bon pied une transition du trot au petit galop peut être difficile au début. Tu progresseras à mesure que ton assiette s'améliorera. Passe quelques minutes au petit galop chaque fois que tu montes, pour accroître ton assurance.

Problèmes de transition

Parfois, un cheval se lance brutalement au galop au lieu d'effectuer une transition en douceur. Cela peut être dû à l'excitation, ou à un manque d'équilibre. Travaille le trot afin de parvenir à un bon rythme avant de demander le petit galop.

Ce poney précipite le trot plutôt que de passer au petit galop.

Si le cheval trotte de plus en plus vite sans passer au galop, tu n'as peut-être pas fourni les aides correctement. Assure-toi que la jambe gauche (si tu es à main droite) est assez en arrière : ne donne pas l'ordre de passer au petit galop avant d'être parfaitement équilibré et de maîtriser ta monture.

Ce cheval part brutalement au galop, au lieu de quitter le trot en douceur.

Comment déterminer quel pied mène

Cette cavalière se penche trop en avant pour regarder.

Au départ, tu risques de te demander quel est au juste le pied qui mène. Il est tentant de se pencher en avant pour regarder par-dessus l'épaule du cheval, mais cela perturbe l'équilibre. Contente-toi donc d'observer les épaules de ta monture. Celle qui mène est un peu décalée vers l'avant.

Cette cavalière conserve un bon équilibre.

Trop vite

Si le galop de ton cheval est trop rapide, c'est peut-être qu'il est mal équilibré ou surexcité : tu risques alors de ne plus le maîtriser. Si tu veux ralentir la cadence et calmer ton cheval sans lui demander de repasser au trot, tiens-toi droit et fais porter le poids de ton corps sur la selle. Reprends doucement les rênes, relâche-les, puis reprends-les à nouveau. Répète ce mouvement avec les rênes jusqu'à ce que l'allure de ta monture soit redevenue régulière.

Le petit galop à faux

Si le cheval est très déséquilibré, il risque de se désunir. Cela consiste à mener avec le pied situé du même côté que le postérieur qui a lancé la séquence, alors qu'ils doivent être diagonalement opposés. C'est une allure défectueuse et très inconfortable, pour toi comme pour ton cheval.

Au galop désuni, la séquence est la suivante : postérieur gauche, postérieur et antérieur droits simultanément, puis antérieur gauche.

Si tu soupçonnes que ton cheval commence à se désunir, repasse au trot, puis redemande-lui le petit galop en t'assurant qu'il démarre sur le bon pied.

Cette cavalière se penche vers l'avant, elle se tient debout sur les étriers et serre les jambes. C'est ainsi que l'on augmente l'impulsion d'un cheval. Si tu veux que ta monture ralentisse, redresse-toi et fais porter le poids du corps sur la selle.

Changement de pied en repassant au trot

Si tu a entamé le petit galop sur le mauvais pied, repasse au trot. Attends que vous ayez, toi et ta monture, retrouvé un bon équilibre, puis indique-lui que tu souhaites repartir au petit galop sur l'autre pied. C'est également la marche à suivre pour changer de direction au petit galop.

LA LONGE

Lorsque le moniteur fait travailler ton cheval à la longe, c'est lui qui le contrôle, ce qui te permet de te concentrer sur ta technique. Cela aide les débutants à se sentir plus en sécurité et à améliorer leur assiette. Pour les cavaliers plus expérimentés, cela permet d'éliminer les mauvaises habitudes qui se sont installées insidieusement.

Cette cavalière a noué ses rênes afin de pouvoir les lâcher.

Équipement

Le moniteur tient une longue rêne, appelée longe, qui est attachée à une muserolle sur le filet, qui porte le nom de caveçon. Le moniteur tient également une longue cravache, la chambrière, qui sert à diriger et à maîtriser le cheval.

La position de base

La principale différence entre monter à la longe et avec des rênes tient au changement de position des bras. Tu peux les laisser libres et près du corps, ou faire comme si tu tenais les rênes. Si tu ne te sens pas en sécurité, tu peux tenir un collier ou le pommeau.

Cette cavalière a adopté une position correcte avant d'entamer le cours.

Muni d'une longe, le moniteur peut donner des conseils précis sur la position du cavalier.

Chambrière

Longe

Caveçon

Un cours à la longe

En principe, les cours à la longe ne durent qu'une trentaine de minutes, car le fait de travailler sur des cercles exige un effort considérable de la part du cheval. Commence au pas. C'est le moment de faire des exercices (voir pp. 42-43). Puis passe au trot. Si ton cheval est assez souple, finis par un travail au petit galop.

Travail au pas

Lorsque tu travailles au pas, concentre-toi en particulier sur l'assiette : enfonce-toi bien dans la selle et détends le bas du dos. Laisse tout ton corps suivre le mouvement du cheval. Aucun de tes muscles ne doit être tendu, et les genoux ne doivent pas être serrés.

Le plus important : le travail au trot

À la longe, le travail au trot est excellent pour ton équilibre. Au trot enlevé, efforce-toi de ne pas déplacer les jambes quand tu te soulèves.

Au trot assis, pense à détendre les muscles du bas du dos et fessiers. Lorsque tu parviens à rester assis sans être trop secoué, retire tes pieds des étriers. Croise les étrivières par-dessus le garrot du cheval pour ne pas le gêner.

Cette cavalière travaille au trot assis. Elle continue à tenir les rênes, mais elle pourrait tenir le pommeau.

Le travail au petit galop

Un cheval doit posséder un très bon équilibre pour être longé au petit galop.

Un cheval à la longe doit décrire de petits cercles. Mais pour y parvenir au petit galop, il doit être très souple, sinon, il perd l'équilibre. C'est pourquoi il ne faut travailler au petit galop que pendant de courtes durées. Tiens-toi droit et fais porter le poids du corps au creux de la selle.

LE MANÈGE

Un centre équestre possède en général un manège couvert et un manège extérieur, la carrière, qu'il faut souvent partager avec d'autres cavaliers. Il est donc important d'en connaître ses règles et termes.

La priorité

Dans un manège, les chevaux circulent sur deux pistes imaginaires : une située au périmètre du manège (la piste extérieure) et l'autre plus au centre (la piste intérieure). En principe, on croise un autre cheval sur sa gauche : si tu tournes dans le sens des aiguilles d'une montre, passe sur la piste intérieure pour que le cheval que tu croises soit sur ta gauche. Mais tu dois toujours laisser un cheval plus rapide te doubler sur l'extérieur, quel que soit le sens dans lequel tu tournes. Alors, même si tu avances dans le sens contraire des aiguilles d'une montre, emprunte la piste intérieure pour le laisser passer. Si tu marches au pas ou veux t'arrêter, prends toujours la piste intérieure.

Plan d'une carrière

En général, les carrières sont rectangulaires. Souvent, elles servent au dressage et mesurent, dans ce cas, 20 x 40 m. Des lettres sont placées en des points précis du périmètre (voir ci-dessous). Ces points sont les mêmes dans toutes les carrières.

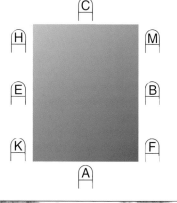

Changement de main

Lorsque tu tournes dans le sens des aiguilles d'une montre, tu es à main droite ; dans le sens contraire, tu es à main gauche. Un changement de sens s'appelle un changement de main.

Pour changer de main, il ne suffit pas de faire demi-tour ; il faut pour cela traverser la carrière. Voici plusieurs méthodes. On peut traverser en diagonale, d'un coin à l'autre (de H à F, par exemple), ou l'on peut se rendre au milieu d'un côté (A, B, C ou E), puis tourner à angle droit et traverser le manège en longueur ou en largeur (de E à B, de A à C ou vice versa).

Cette cavalière et son poney changent de main en traversant le manège par le milieu.

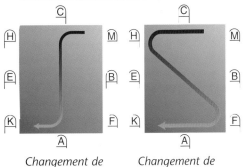

Changement de main de C à A

Changement de main de H à F

Lorsque tu changes de main, l'intérieur et l'extérieur (voir p. 26) sont inversés. Au trot enlevé, reste assis un temps de plus pour changer de diagonale (voir p. 33). Au petit galop, ralentis pour repasser au trot, puis redemande le petit galop : cette fois, c'est l'autre pied qui mènera.

Différentes figures de dressage

Afin d'améliorer ton équilibre, tu peux suivre des itinéraires précis dans la carrière, qui s'appellent des figures. Les plus courantes sont le cercle, le huit de chiffre et la serpentine, tous illustrés ci-dessous. Réalise-les au pas avant de passer au trot et au petit galop.

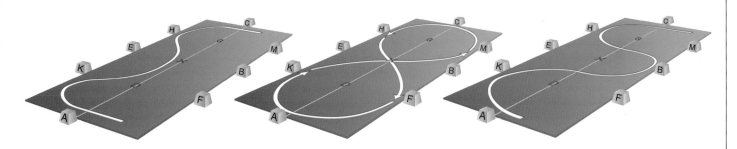

Voici un contre-changement de main. Lorsque tu entreprends l'une de ces figures, il te faut appliquer les aides de façon constante et logique.

Dans le cas d'un huit de chiffre, tu changes de main au milieu. Continue tout droit, le temps de quelques foulées, pour changer de diagonale ou de pied meneur.

Pour réaliser une serpentine, prévois la lettre à hauteur de laquelle tu vas tourner. Cela t'aidera à conserver ton équilibre et ton impulsion.

EXERCICES D'ENTRAÎNEMENT

Les exercices en selle sont excellents pour ta souplesse et ton équilibre. Fais-en plusieurs par séance et demande à un instructeur de te conseiller ceux qui te sont le mieux adaptés. Réalise-les toujours dans un enclos fermé, carrière ou manège. Si ta monture est calme, exerce-toi tout seul à l'arrêt en nouant les rênes, ou demande à ce qu'on t'aide à tenir ton cheval. Sinon, entraîne-toi pendant un cours à la longe.

Toucher ses pieds

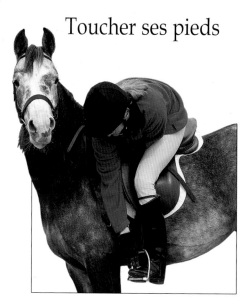

En avant, en arrière

Pose les mains sur les hanches ou tiens les rênes comme d'habitude. Tout en conservant la position des jambes, penche-toi en avant de manière que ton torse repose sur l'encolure du cheval. Garde cette position plusieurs secondes puis redresse-toi doucement, sans fléchir les jambes.

Ensuite, penche-toi en arrière, jusqu'à ce que ta tête repose, si possible, sur la croupe de ton cheval. Puis redresse-toi doucement, toujours sans déplacer les jambes. Il faut être très souple pour réussir ce mouvement. Exerce-toi avec et sans étriers.

Penche-toi en avant et fais pivoter le torse pour toucher la pointe de ton pied gauche avec la main droite. Redresse-toi, puis touche la pointe de ton pied droit avec la main gauche. Tu peux également réaliser cet exercice à la longe.

Lever la jambe

Penche-toi le plus loin possible en avant et en arrière.

Prends garde à ne pas heurter le garrot de ta monture.

Les jambes de cette cavalière demeurent en position correcte.

Demande qu'on tienne ta monture et déchausse les étriers. Fais passer une jambe par-dessus le garrot du cheval, dans un sens, puis dans l'autre. Répète le mouvement avec l'autre jambe.

À la longe

Les exercices suivants sont tous assez faciles et peuvent être pratiqués à l'arrêt ou au pas. Lorsque tu te sentiras en confiance, tu peux essayer de les faire au trot, puis au trot en déchaussant les étriers. Mais attention : si tu n'es pas sûr de toi, ce n'est pas une raison pour serrer les genoux. Rechausse plutôt les étriers jusqu'à ce que ton équilibre soit plus assuré.

Ne consacre pas trop de temps à chaque exercice : le travail à la longe est aussi fatigant pour toi que pour ta monture.

Fais pivoter ton corps comme ceci : ton équilibre n'en sera que meilleur.

Pose les mains sur les hanches et fais pivoter ton corps dans les deux sens. Fais la même chose en tendant les bras à l'horizontale.

Assouplis tes jambes en effectuant ces exercices.

Ensuite, déchausse les étriers. Fais aller et venir tes jambes, l'une vers l'avant et l'autre vers l'arrière. Puis fléchis un genou et tiens ta cheville pendant quelques secondes. Répète l'exercice avec l'autre jambe.

Pour améliorer ton équilibre et ta posture, change la position de tes bras, comme sur ces illustrations.

Pose les mains sur les hanches.

Tiens les bras à l'horizontale.

Lève les bras aussi haut que possible.

Croise les bras derrière le dos.

LES CHEVAUX DIFFICILES

Certains chevaux et poneys peuvent être très difficiles à monter et très désobéissants. Parfois, c'est simplement un manque de discipline, mais il arrive que cela résulte d'un malaise ou d'une souffrance. Beaucoup de problèmes sont dus au mauvais maniement de la monture.

Le cheval rétif

Un cheval rétif refuse d'obéir aux ordres de son cavalier. Il refuse parfois d'avancer ou de quitter ses compagnons. Il arrive même qu'il fasse demi-tour pour rentrer à l'écurie.

Ce comportement est parfois dû à une douleur, consulte donc un vétérinaire. Sinon, il se peut qu'il soit désorienté, effrayé ou capricieux ! Il lui faut un cavalier sûr de soi, et peut-être aussi quelques séances supplémentaires d'entraînement.

Il tire et il piaffe

Certains chevaux, toujours en train de secouer la tête, tirent sur les rênes, qui échappent alors au cavalier. D'autres tirent sur les rênes et piaffent sur place au lieu d'avancer calmement. On peut expliquer ce type de comportement de plusieurs manières. Souvent, le cheval a mal aux dents,

consulte donc un expert. Mais il se peut tout simplement que ta monture soit nerveuse parce qu'elle te sent tendu, ou parce qu'elle veut aller plus vite. Si un cheval agit ainsi de façon systématique, même avec un cavalier expérimenté, c'est peut-être qu'il manque d'exercice.

Ces poneys sont surexcités et difficiles à contrôler.

L'écart

Lorsqu'un cheval a peur, il risque de piler devant un objet ou de faire un écart pour l'éviter. C'est une réaction naturelle : laisse-le découvrir l'objet en question en le reniflant.

Si un cheval réagit souvent de cette manière, il doit être monté par un cavalier calme et sûr de lui, qui le persuadera de dominer sa peur. Il peut aussi être bénéfique de le faire sortir en compagnie d'un cheval plus calme.

Si le cheval s'approche d'un objet effrayant, le cavalier doit essayer de détourner son regard et le pousser à avancer avec détermination.

Lorsque le cheval s'emballe

Lorsqu'un cheval s'emballe, c'est en général qu'il fuit un objet qui l'a effrayé. S'il le fait souvent, il a peut-être mal quelque part : fais-le ausculter par un vétérinaire.

Si ton cheval s'emballe, reste immobile. Évite tout ce qui risque d'accroître sa frayeur. Si tu cries ou te dresses sur les étriers, tu ne feras qu'aggraver les choses. Si possible, fais-lui décrire un grand cercle pour le calmer. Relâche ta pression sur les rênes, puis tire de nouveau dessus, plusieurs fois de suite, jusqu'à ce qu'il se calme.

Le cavalier relâche la pression sur les rênes…

… puis tire de nouveau dessus.

Les ruades

Les chevaux ruent parfois par excitation, ce qui n'est guère inquiétant. Pourtant, si un cheval rue souvent, cela peut être le signe d'une douleur : fais vérifier la selle et son dos par un expert.

Certains chevaux se rendent compte que les ruades permettent de se débarrasser de leur cavalier. Dans ce cas, celui-ci doit faire porter tout le poids du corps sur la selle et tenter de redresser la tête du cheval.

Cette cavalière essaie de redresser la tête de sa monture au moment de la ruade.

Le cheval se cabre

Le cabrage est un problème très sérieux, qui doit être traité uniquement par un expert. Si un cheval se cabre lorsque tu es en selle, penche-toi en avant pour l'empêcher de tomber en arrière.

Seul un cavalier très expérimenté doit monter un cheval qui se cabre de cette façon.

LES CHUTES

La plupart des cavaliers tombent de leur monture à un moment ou un autre, surtout en phase d'apprentissage. Voici des conseils pour éviter de tomber et, le cas échéant, pour éviter de se faire mal.

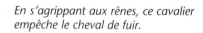

Éviter de se blesser

Les chutes comportent toujours un risque de blessure, mais tu peux le réduire en portant des vêtements de protection. Tu dois toujours porter une bombe, et si tu fais du saut d'obstacles, porte également un gilet de protection. Les deux doivent être conformes aux normes de sécurité. Mais la meilleure façon d'éviter les blessures est encore de rester en selle. Alors entraîne-toi à monter sans rênes ni étriers afin d'améliorer ton assiette. Assure-toi toujours que ta monture réagit à tes aides et méfie-toi des objets qui l'effraient.

En s'agrippant aux rênes, ce cavalier empêche le cheval de fuir.

En cas de chute

Si tu tombes, essaie de ne pas te raidir. Si tu te roules en boule au moment du contact avec le sol, tu diminues le risque de blessure. Si tu y parviens, agrippe-toi aux rênes pour empêcher ton cheval de s'enfuir ! Mais s'il part en courant, lâche-le : sinon, il te traînerait par terre.

Outre une bombe, cette cavalière porte un gilet de protection sous sa veste : lors de cette chute, sa tête et son dos sont protégés.

Que faire ?

Si toi-même ou un autre cavalier êtes victimes d'une chute, la première chose à faire est de s'assurer que vous n'êtes pas blessés. En cas de blessure, envoie chercher de l'aide. Puis, vérifie que le cheval se porte bien et que son harnachement n'a pas été endommagé. S'il paraît nerveux, rassure-le en lui parlant doucement.

Une chute peut te faire perdre confiance, c'est pourquoi il vaut mieux te remettre en selle dès que possible.

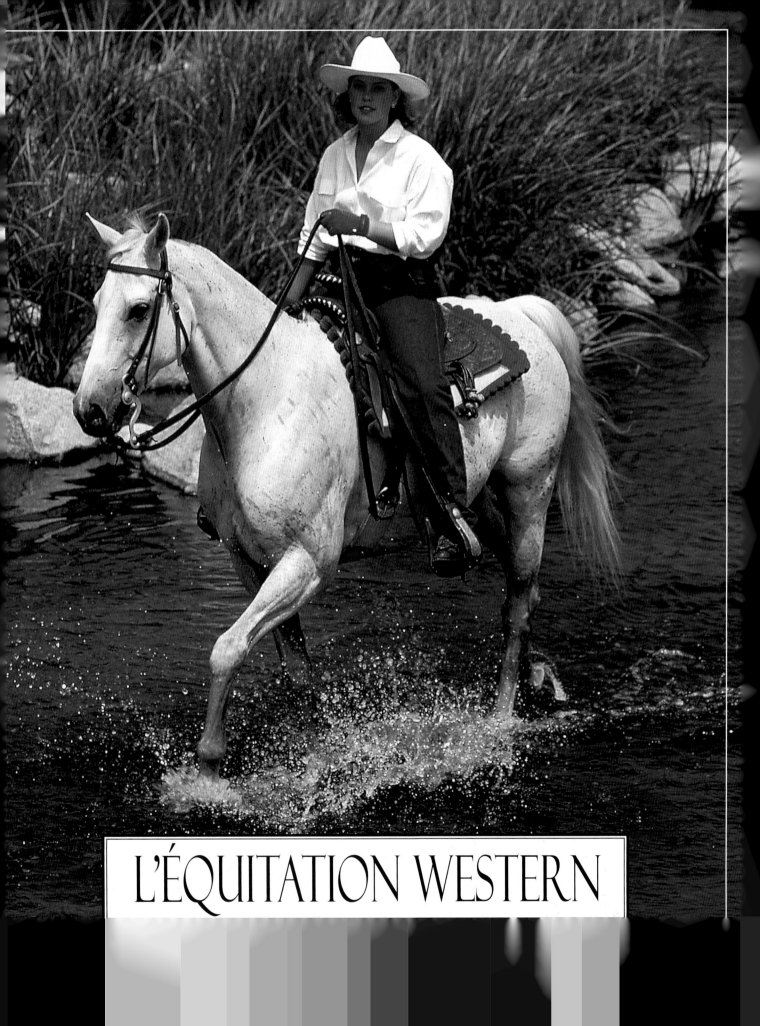

L'ÉQUITATION WESTERN

L'ÉQUIPEMENT

L'équitation western est un style de monte plus décontracté que l'équitation classique. On monte avec les étriers chaussés long et on tient en général les rênes d'une seule main. Tu trouveras peut-être ce style de monte plus confortable, surtout en randonnée.

La tenue western

Pour l'équitation western, tu peux t'habiller simplement, tout en privilégiant la sécurité par le choix de vêtements bien faits et pratiques. Assure-toi aussi qu'ils sont confortables.

Casques et chapeaux

Protège ta tête à l'aide d'un casque conforme aux normes de sécurité. Le plus souvent, on porte un chapeau à large bord qui protège du soleil et de la pluie. Si tu en portes un, assure-toi qu'un casque y est incorporé, ou porte un casque normal en dessous.

Pantalons et chaussures

Les jean ou pantalons longs et près du corps diminuent le frottement des cuisses et des jambes sur la selle. Si tu as l'intention de faire beaucoup d'équitation, porte des chaps (jambières de cuir), qui protègent mieux et retiennent la chaleur.

Tu peux opter pour les bottes de cow-boy traditionnelles, mais des chaussures robustes ou des bottes avec un talon de trois centimètres environ feront l'affaire. Le talon empêche le pied de glisser à travers l'étrier.

Le harnachement western

Il existe plusieurs variétés de selles et de brides western. Chacune est adaptée à une façon de monter. En tant que débutant, tu utiliseras sans doute une selle de travail et un bridon doté d'un frontal.

La selle

La selle western est étudiée pour le confort et la bonne position du cavalier. Il faut que les étriers soient de la bonne taille : s'ils sont trop petits, ils risquent de pincer ou d'entraver les pieds.

La selle est lourde, mais elle est confortable pour le cheval, car elle répartit bien ton poids sur son dos. Mais utilise toujours un tapis de selle ou une couverture – ou les deux – pour protéger son dos.

Trousequin relevé

Corne

Siège profond

Pommeau

Épaule

Quartier

Petit quartier

Voici une selle polyvalente dotée d'un quartier découpé qui la rend plus légère. Sur certaines selles western, le quartier est beaucoup plus grand.

Sangle arrière

Des fenders protègent les jambes.

Sangle avant

Étrivière

Cette selle a deux sangles, mais certaines selles western n'en ont qu'une.

Les étriers western sont souvent en bois recouvert de cuir résistant.

Étrier

Le bridon à frontal

La bride western la plus fréquemment utilisée est le bridon à frontal. On l'utilise souvent de pair avec un mors de bride western (ci-après), mais il te faudra utiliser un mors de filet jusqu'à ce que tu saches tenir les rênes.

Frontal

Têtière

Sous-gorge

Montant

Rênes

Mors

Mors de bride western

Mors de filet

Les rênes

On utilise des rênes ouvertes ou des rênes californiennes. Ces dernières sont plus faciles à manipuler pour un débutant. Les extrémités sont fixées par un romal, une lanière tressée, ce qui les empêche de tomber de l'encolure du cheval si tu les lâches par mégarde.

Les rênes ouvertes ne sont pas reliées. Tu dois donc mettre pied à terre pour les ramasser si tu les lâches.

Rênes californiennes

SELLER ET BRIDER

En monte western comme en équitation classique, il faut seller (mettre la selle) et brider (mettre la bride et les rênes) correctement. En tant que débutant, tu n'auras sans doute pas à le faire, mais il est important de l'apprendre. Le harnachement doit être bien installé et ajusté pour le confort et la sécurité du cheval et du cavalier. Tu dois apprendre aussi à enlever la selle et la bride.

Harnacher ton cheval

Pour installer la bride, place-toi sur la gauche du cheval. Si tu as des rênes californiennes, passe-les par-dessus la tête de ta monture.

En revanche, si tu utilises des rênes ouvertes, passe-les autour de son encolure ou sur ton épaule droite.

Tiens la têtière dans la main droite et le mors dans la gauche.

La main gauche est à plat.

Manipule ses oreilles en douceur.

1. Pose la main droite entre les oreilles de ton cheval pour l'empêcher de lever la tête, et présente le mors devant sa bouche.

2. S'il ne l'accepte pas, introduis doucement ton pouce gauche à la commissure de ses lèvres afin de lui faire ouvrir la bouche.

3. Ensuite, fais glisser la têtière par-dessus ses oreilles. Fais passer son toupet par-dessus le frontal et attache la sous-gorge.

4. Une fois que tu as bouclé la sous-gorge, tu dois pouvoir glisser quatre doigts entre cette dernière et la gorge.

Seller ton cheval

Commence par la couverture. Pose-la sur le garrot du cheval, puis fais-la glisser vers l'arrière. Cette méthode lisse les poils en dessous. Mets le tapis de selle par-dessus de façon que la couverture dépasse d'environ trois centimètres par devant.

Tiens-toi toujours à gauche du cheval pour le seller.

La selle est lourde : fais-toi aider pour la soulever.

1. Passe les sangles et les étriers sur le siège de la selle et place celle-ci sur le tapis.

Il y a un creux sous le pommeau.

2. Rentre couverture et tapis dans l'arcade de la selle pour qu'ils ne glissent ni ne frottent.

Ajuste toujours les sangles sur la gauche.

Lanière de raccord

3. Baisse les sangles et les étrivières et assure-toi qu'elles tombent droit.

4. Attache d'abord la première sangle. Serre-la en prenant garde à ne pas pincer le cheval.

5. La sangle avant doit être bien serrée. La sangle arrière ne doit pas l'être.

6. Enfin, attache la lanière de raccord, ainsi que le collier de chasse si tu en utilises un.

Enlever la selle

Tiens-toi du côté gauche de ton cheval et défais le collier de chasse, la lanière de raccord et la sangle arrière. Défais toujours la sangle avant en dernier.

Quand tu as fini, passe sur le côté droit du cheval et relève collier de chasse, sangles et étrier droit. Puis retourne du côté gauche et enlève la selle.

Enlève la selle avant de retirer la bride.

Enlever la bride

Pour enlever la bride, défais la sous-gorge en premier. Si tu emploies des rênes californiennes, tiens-les de la main droite et passe-les par-dessus la tête de ton cheval. En même temps, prends la têtière et glisse-la doucement par-dessus ses oreilles.

Si tu utilises des rênes ouvertes, tiens-les de la main gauche alors que tu enlèves la bride.

SE METTRE EN SELLE

Comme pour l'équitation classique, il existe une méthode pour se mettre en selle que tu dois apprendre. D'ailleurs, elle ressemble à la méthode classique, mais elle est plus facile, car les étriers sont plus bas.

Comment faire

Habituellement, on monte du côté gauche du cheval, mais entraîne-toi à le faire aussi depuis la droite. Assure-toi toujours que la sangle avant est suffisamment serrée, autrement la selle risque de glisser.

Du côté gauche

Tiens-toi face à la queue du cheval, en tenant les rênes de la main gauche. Pose cette dernière sur l'encolure de ta monture.

Tourne l'étrier gauche vers toi et enfonce le pied gauche dedans. Agrippe-toi, de la main droite, à la corne ou au pommeau (voir p. 49)

Mets-toi en selle doucement en veillant à ne pas heurter le trousequin. Essaie surtout de ne pas heurter ta monture.

Avant de te mettre en selle, assure-toi que ton cheval est tranquille.

En te hissant en selle, pivote vers l'avant.

Du côté droit

Applique la même méthode que précédemment, mais tiens les rênes dans la main droite et utilise l'étrier droit.

Corps tourné vers l'avant

Si tu préfères, tu peux faire face à la tête ou au flanc de ton cheval. Dans ce cas, il est inutile de tourner l'étrier.

Vérifier la sangle

Tu dois toujours vérifier que la sangle avant est convenablement serrée après quelques minutes en selle. Sur une selle western, il est impossible de réaliser cette vérification sans mettre pied à terre.

Mettre pied à terre

Il est peu souhaitable de suivre la méthode classique pour descendre d'une selle western en sécurité : en raison de la taille du trousséquin, il est difficile de passer la jambe par-dessus pour sauter à terre. Il est préférable de mettre pied à terre doucement. Si ton cheval est trop grand pour que tu y arrives, tu devras éventuellement sauter (voir p. 19), mais fais très attention à ne pas cogner ta jambe sur le trousséquin.

Pose la main gauche sur le garrot.

1. Tiens les rênes dans la main gauche et saisis la corne de l'autre. Déchausse l'étrier droit.

2. Passe la jambe droite par-dessus la selle et mets ton pied par terre. Laisse le pied gauche dans l'étrier jusqu'à réception.

Voici la dernière étape illustrée. Observe la façon dont la cavalière tient les rênes.

LA POSITION CORRECTE

Bien que le style western soit moins rigide que le style classique, la position en selle est similaire. Dans les deux cas, le but est de maintenir son équilibre sur le cheval.

L'assiette western

On s'enfonce bien dans la selle, et la plante des pieds repose dans les étriers. Tiens la tête droite et essaie de te décontracter.

Une bonne assiette nécessite un bon équilibre : essaie de ne pas serrer la selle avec les cuisses, ni même de t'accrocher aux étriers.

Ajuster les étriers

Pour vérifier la hauteur des étriers, mets-toi debout en t'appuyant dessus, ton bassin à six centimètres environ de la selle. Si tu dois raccourcir ou rallonger une étrivière, descends et soulève le fender. Défais les boucles sur l'étrivière, change de trous et rattache-les.

Reste souple au niveau des articulations.

Tes coudes ne doivent pas s'écarter de ton torse.

Les jambes sont légèrement pliées.

Maintiens le dos bien droit et les épaules carrées.

Apprendre à tenir les rênes

En équitation western, on tient habituellement les rênes avec une seule main. Au départ, toutefois, tu peux les tenir à deux mains, comme dans le style classique. D'ailleurs, il est plus facile de garder les épaules droites de cette manière.

Une fois que tu es à l'aise lorsque tu montes en tenant les rênes à deux mains, essaie avec une seule main. Il y a deux façons de faire, selon le type de rênes que tu utilises.

La plupart des cavaliers tiennent les rênes de la main gauche, mais, en fonction de ce qui te paraît confortable, utilise la main de ton choix.

Maintiens les rênes basses et de longueur égale.

Rênes californiennes

Les rênes californiennes passent dans la main et ressortent entre le pouce et l'index. Si tu veux, sépare-les avec l'auriculaire. Tiens le romal de l'autre main, au niveau de ta cuisse.

Rênes ouvertes

Les rênes ouvertes passent par-dessus l'index et dans la main. Tu peux également les séparer avec l'index. Les extrémités sont libres : ton autre main est posée sur ta cuisse.

Ajuster les rênes

Les rênes doivent être suffisamment courtes pour que tu sentes le contact avec la bouche de ta monture, mais sans tirer dessus, ce qui se produit si elles sont trop courtes. Les rênes trop courtes risquent aussi de te faire pencher vers l'avant.

Tu peux rallonger les rênes en glissant les doigts vers les extrémités.

Pour les raccourcir, utilise ta main libre pour les faire glisser dans la main qui les tient.

Ce qu'il faut éviter

Si tu avances trop la main qui tient les rênes, tu pivotes dans la selle, comme ce cavalier.

Ne t'agrippe jamais aux rênes pour t'équilibrer – tu risques de faire mal à la bouche de ta monture. Au besoin, tiens-toi à la corne ou à la crinière du cheval.

LE PAS ET L'ARRÊT

À peu de choses près, les allures du cheval sont les mêmes en équitation western et classique, bien que leurs noms soient différents. Les aides de base qui servent à transmettre des instructions à la monture sont elles aussi très similaires.

Les aides western

Comme en équitation classique, les aides principales sont les mains, l'assiette et les jambes (voir pp. 22-23). On utilise les mains pour diriger le cheval et l'assiette pour l'équilibrer. Les jambes donnent surtout de l'impulsion vers l'avant. On peut aussi utiliser la voix pour encourager le cheval. S'il a besoin qu'on le pousse davantage, on peut utiliser les extrémités des rênes comme cravache.

De l'arrêt au pas

D'abord, assure-toi que ta posture et ta tenue des rênes sont correctes (voir pp. 54-55). Puis, fais pression sur les flancs de ta monture avec les jambes.

Si le cheval ne se met pas au pas tout de suite, serre les jambes un peu plus fort. Lorsqu'il avance, garde bien les épaules carrées.

Redresse-toi et tiens les rênes sans les serrer, d'une seule main. Celle-ci doit accompagner en douceur le mouvement de tête du cheval.

Exerce une pression sur ses flancs en disant « Au pas ».

Ton cheval doit faire des foulées régulières et dynamiques.

S'il ralentit, exerce une nouvelle pression.

La position

Lorsque ton cheval est au pas, pense à ta position. Tu dois te tenir d'aplomb, ton poids bien réparti. Essaie de te décontracter, afin d'épouser les mouvements de ta monture.

Il est facile d'adopter une mauvaise position en se penchant en avant ou bien sur le côté. On est alors déséquilibré et les aides deviennent inefficaces. Si tu te rends compte que tu commets cette erreur, essaie de te redresser. Pour t'aider, tu peux rallonger les rênes ou les tenir à deux mains pendant un moment.

Problèmes

Au départ, tu trouveras peut-être que les fenders t'empêchent d'utiliser tes jambes correctement. La difficulté disparaît avec l'entraînement. Cela aide de bien s'enfoncer dans la selle, de garder les étriers chaussés long et de s'entraîner sans étriers.

Lorsque tu montes avec des étriers, chausse-les long.

Essaie de monter sans étriers, afin d'étirer tes jambes.

Du pas à l'arrêt

Pour l'arrêt, contracte les muscles de l'assiette et fais peser ton poids dans la selle. Reprends doucement les rênes, mais essaie de ne pas tirer.

En même temps, ramène les jambes sur les sangles. N'exerce aucune pression forte, sinon ton cheval continuera à avancer.

S'il ne s'arrête pas tout de suite, répète les aides. Si tu ne fais que tirer plus fort sur les rênes, il risque de se rebiffer. Dès qu'il s'arrête, relâche les aides.

Lorsque tu donnes les aides à l'arrêt, dis « Whoa ».

En s'arrêtant, ton cheval doit engager les postérieurs sous son corps.

Un arrêt comme celui-ci signifie qu'il est prêt à repartir.

LA RÊNE D'APPUI

En équitation western, on fait tourner un cheval en rêne d'appui. Plutôt que d'agir sur la bouche du cheval, les rênes agissent sur son encolure. L'avantage est qu'on peut diriger sa monture d'une seule main.

Cette cavalière effectue une rêne d'appui pour tourner à gauche.

La rêne droite « pousse » le cheval vers la gauche.

À l'aide de sa jambe, la cavalière aide son cheval à virer.

Méthodes pour tourner

La technique utilisée pour tourner en rêne d'appui est complètement différente de celle utilisée pour tourner en équitation classique. En Europe, la plupart des chevaux américains sont dressés pour les deux méthodes.

En équitation classique, on demande au cheval de tourner en tirant sur la rêne gauche ou droite. En équitation western, par contre, on ne tire pas sur les rênes. On « pousse » le cheval dans la direction choisie en plaçant la rêne opposée sur son encolure.

Comment tourner

Pour tourner à gauche, déplace la main tenant les rênes vers la gauche. Fais-le en fléchissant légèrement le poignet, sans lever ni reculer la main vers toi. La rêne droite doit entrer en contact avec l'encolure du cheval et le pousser à gauche.

Simultanément, recule la jambe droite tout en gardant la jambe gauche à la sangle. Applique une pression légère. Ta jambe droite fait pivoter l'arrière-main du cheval, entraînant tout son corps. La pression exercée par ta jambe gauche maintient l'impulsion.

Tourner à droite

Pour tourner à droite, déplace la main tenant les rênes vers la droite. La rêne gauche touche l'encolure du cheval et le pousse vers la droite. Recule la jambe gauche, garde la droite à la sangle et serre.

À éviter

Essaie de ne pas avancer la main trop loin. Si c'est le cas, la rêne qui est en contact avec l'encolure tirera également sur le mors, et le cheval tournera la tête dans le mauvais sens.

Cette cavalière tourne à gauche, mais sa main est trop avancée vers la gauche.

La rêne droite est trop courte : elle tire sur le mors.

La pression sur le mors fait que le cheval regarde dans le mauvais sens.

S'entraîner à tourner

Tu peux t'entraîner à tourner en réalisant des cercles. Les exercices comme celui-ci ont le mérite d'améliorer la souplesse de ton cheval.

Commence par réaliser un grand cercle. Veille à ce qu'il soit régulier. Cela peut s'avérer assez difficile au départ. À mesure que tu t'améliores, réduis la taille des cercles.

De temps en temps, il faut changer de direction afin de s'entraîner dans les deux sens.

Tu peux aussi t'entraîner en réalisant un huit de chiffre ou une serpentine (voir encadré au bas de la page).

Ce cheval réalise un cercle à main droite.

Puisque aucune pression ne s'exerce sur sa bouche, il peut regarder où il va.

Exercices pour tourner

Cercle

Serpentine

Huit de chiffre

Essaie d'utiliser toute la place disponible.

C'est un bon exercice pour le changement de rêne.

Change de main au milieu de la figure.

LE JOG

Le jog est l'équivalent du trot en équitation classique. Dans les deux, les membres du cheval se déplacent par paires diagonales, produisant un rythme à deux temps. Toutefois, le jog est une allure plus douce et plus lente, c'est pourquoi beaucoup de cavaliers la trouvent plus confortable.

Le jog assis

À la différence de ce qui se pratique en équitation classique, on reste assis au jog. Sur de longs parcours, en effet, il est moins fatigant de rester assis que de trotter enlevé. Toutefois, le jog assis demande de l'entraînement.

Au départ, le jog assis peut « secouer », mais les étriers chaussés long facilitent le mouvement. Un bon cheval peut aussi t'aider. On fait acquérir aux chevaux western, au cours du dressage, des foulées très régulières, sans secousses.

Au jog assis, cette cavalière a une bonne position. Elle est détendue.

Du pas au jog

Cette cavalière passe du pas au jog.

Le cheval lève légèrement la tête au début du jog. La main de la cavalière qui tient les rênes accompagne le mouvement de tête de la monture.

La cavalière se tient bien droite.

Attends que le cheval avance d'un pas régulier (voir pp. 56-57) avant de demander le jog. Puis exerce une pression avec les jambes, en te penchant légèrement vers l'avant.

Si le cheval n'obéit pas tout de suite, fais une pause et réessaie. Si tu ne relâches pas la pression, il risque de ne plus tenir compte de tes aides. Dès qu'il commence le jog, relâche les aides.

Du jog au pas

Cette cavalière passe du jog au pas.

Le cheval ralentit, mais il doit continuer d'avancer d'un pas dynamique.

Le cheval baisse légèrement la tête et la main du cavalier l'accompagne.

Pour ramener ton cheval au pas, fais peser ton assiette dans la selle et reprends légèrement les rênes. En même temps, ferme les jambes.

S'il ne revient pas au pas immédiatement, fais une pause, puis répète les aides avec plus de fermeté. Relâche la pression sur les rênes dès qu'il passe au pas.

En plein jog

Pour se sentir à l'aise en selle, il faut être « en phase » avec son cheval. Enfonce-toi bien dans la selle, détends le dos et les muscles fessiers, afin d'épouser ses mouvements.

Ton cheval doit maintenir un jog régulier. S'il ralentit trop, exerce une pression sur ses flancs.

S'il va trop vite, contracte les muscles fessiers et reprends légèrement les rênes pour le ralentir.

Cette cavalière est en phase avec sa monture.

Problèmes

Au départ, tu trouveras sans doute que le jog « secoue » un peu trop. C'est une allure inconfortable, et on a tendance à tirer un peu trop brutalement sur les rênes. Pour commencer, tiens la corne de la selle pour t'équilibrer.

S'entraîner au jog sans étriers améliore l'équilibre. Fais un test : pose un doigt sur l'avant de la selle. Lorsque tu auras appris à t'équilibrer, tu pourras le maintenir en place.

LE LOPE

Le lope est un galop lent et confortable, parfait pour les longs parcours. C'est une allure à trois temps, l'équivalent du petit galop de l'équitation classique, mais généralement un peu plus lente.

Du jog au lope

Il faut apprendre le lope dans un manège, en gardant les deux mains sur les rênes : ainsi, on maîtrise mieux sa monture. Fais faire un jog à ton cheval, puis donne les aides au lope au moment d'entamer un tournant. Si tu es à main gauche, demande à ta monture de mener le lope avec le pied gauche (en bas). Si tu tournes à droite, demande qu'elle mène à droite.

Pied meneur

Si tu observes un cheval au lope, tu verras qu'il avance un pied sur le troisième temps. Il s'agit là du pied meneur.

Cette cavalière a demandé le lope au moment de tourner, ce qui rend les aides plus efficaces.

Demander le galop à gauche ou à droite

Si tu réalises un lope en ligne droite, c'est à toi de décider quel pied doit mener. Il faut changer de pied meneur de temps en temps, autrement ton cheval risque de mener systématiquement avec le même pied.

En réalisant un cercle, le cheval doit toujours mener avec le pied intérieur. Cela l'aide à s'équilibrer dans le virage.

Ce cheval mène le lope à gauche.

Ce cheval mène le lope à droite.

Pour demander que le cheval parte au galop à gauche, tourne sa tête légèrement à gauche. Laisse la jambe gauche sur la sangle, recule la droite, exerce une pression.

Pour demander que le cheval mène à droite, tourne sa tête vers la droite. Avec la jambe droite sur la sangle, recule la jambe gauche et exerce une pression.

Position et aides au lope

Dès que ton cheval se met au lope, relâche la pression sur ses flancs et sur les rênes. Essaie de t'asseoir profondément dans la selle et laisse tes mains épouser le mouvement de sa tête.

Ton cheval doit exécuter un lope régulier. S'il va trop vite, contracte les muscles fessiers et reprends légèrement les rênes. S'il est trop lent, exerce une pression sur ses flancs.

Si tu changes de direction et si tu dois changer de pied meneur, repasse au jog (voir ci-dessous). Tu peux alors donner les aides pour un lope en changeant de pied meneur.

Ce cheval vire à droite et mène le lope à droite.

La cavalière est d'aplomb et regarde dans la direction qu'elle prend.

Le cheval déplace ses membres en trois temps.

Du lope au jog

Pour faire reprendre le jog à ta monture, contracte les muscles fessiers et ceux du bas du dos. Referme les jambes sur la sangle et reprends légèrement les rênes.

Quand le cheval repasse au jog, relâche la pression exercée par les jambes et sur les rênes. S'il ne ralentit pas, fais une pause et répète les aides avec fermeté.

Problèmes

Le lope « secoue » moins que le jog, mais tu peux tout de même t'équilibrer à l'aide de la corne. Essaie néanmoins de ne pas t'y agripper, sinon tu risques de te retrouver hors de la selle.

Au début, il est tentant de regarder si le cheval mène avec le pied voulu, mais évite de le faire, si possible. Avec l'expérience, tu le devineras grâce à son mouvement.

AMÉLIORER SA TECHNIQUE

Comme pour toute autre activité, il faut du temps et de l'entraînement pour devenir un bon cavalier. S'attaquer à un parcours d'obstacles est un bon moyen d'améliorer sa technique tout en s'amusant.

Parcours d'obstacles

Si tu effectues un parcours d'obstacles, tu prends confiance et tu apprends à mieux diriger ta monture. Tu peux construire ton propre parcours, comme illustré ci-dessous.

D'abord, entraîne-toi à faire le parcours au pas. Essaie de ne pas trop tirer sur les rênes. Passe par-dessus les troncs d'arbres et contourne les autres obstacles. Décide dans quelle main tu préfères tenir les rênes et ne change plus. Une fois que tu es à l'aise au pas, essaie au jog, puis au lope.

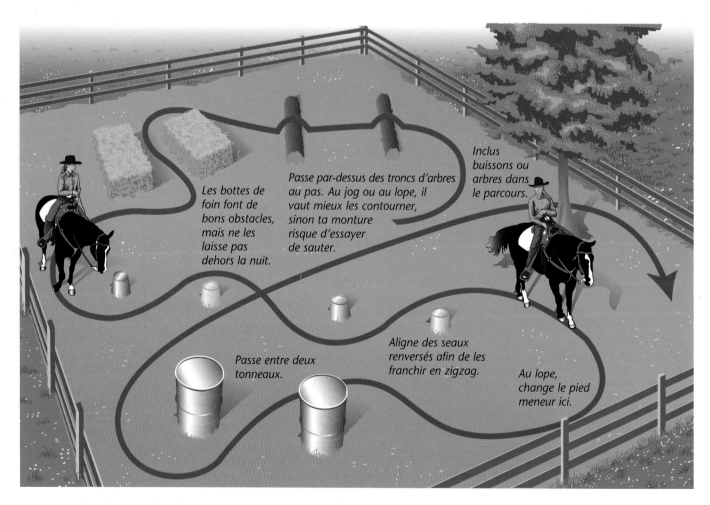

Les bottes de foin font de bons obstacles, mais ne les laisse pas dehors la nuit.

Passe par-dessus des troncs d'arbres au pas. Au jog ou au lope, il vaut mieux les contourner, sinon ta monture risque d'essayer de sauter.

Inclus buissons ou arbres dans le parcours.

Passe entre deux tonneaux.

Aligne des seaux renversés afin de les franchir en zigzag.

Au lope, change le pied meneur ici.

LES SOINS

LA BONNE APPROCHE

S'occuper d'un cheval, c'est aussi savoir comment le traiter au quotidien, ou le manipuler. En général, les chevaux bien dressés font confiance, sont pleins de bonne volonté et aiment la compagnie des humains. S'ils sont bien manipulés, ils conservent leur bonne éducation.

Le contact quotidien

Lorsque tu abordes un cheval, tu risques de le surprendre s'il ne te voit pas venir, alors ne l'approche jamais par-derrière. Aborde-le au niveau de l'épaule. Tends la main en lui offrant la paume pour qu'il la renifle. Caresse-le sur l'encolure et parle-lui de manière calme et rassurante.

Il est important que le cheval te voie.

Laisse-le venir à toi calmement.

Lorsque tu te déplaces autour d'un cheval, fais-le calmement, sans geste brusque. Si tu as besoin de passer derrière lui, pose une main sur son dos afin qu'il sache que tu es là. Ne t'approche jamais de ses postérieurs, car il risque de botter.

Il est aussi important de lui montrer de l'affection : parle-lui d'une voix douce et gratte-lui l'encolure et le garrot.

Pour le gronder

Lorsqu'un cheval se comporte mal, il est important de ne pas le laisser faire, sinon il devient capricieux et difficile à monter. Tu peux le réprimander en le grondant d'une voix ferme. S'il persévère, donne-lui une petite claque sur l'épaule ou l'encolure. Ne le frappe jamais sur la tête ; il pourrait par la suite avoir peur qu'on la lui touche.

Attraper un cheval au pré

Pour attraper un cheval, il te faut un licol doté d'une longe. Un cheval difficile à attraper peut garder le licol au pré, ce qui facilite la tâche. Toutefois, le licol doit être en cuir, de façon qu'il se déchire si le cheval s'accroche sur quelque chose.

Approche-toi de ton cheval en lui offrant une friandise et en cachant le licol derrière ton dos.

Lorsque vous êtes suffisamment proches l'un de l'autre, donne-lui la friandise. Essaie de ne pas l'effrayer.

Têtière

Passe un bras sous sa tête et glisse la muserolle en place. Passe la têtière par-dessus la nuque. Attache-la.

Comment mener un cheval correctement

Tiens la longe à environ 15 cm sous le menton du cheval. Fais claquer ta langue et dis avec fermeté : « Au pas ». Marche à côté de lui et veille à ce qu'il ne traîne pas.

Ce Shetland est mené correctement, avec environ 15 cm de longe libre.

S'il commence à tirer, appuie ton épaule contre la sienne et tire en arrière pour le ralentir.

Ne le devance jamais en le tirant pour le faire avancer, et ne le laisse pas « musarder » en arrière sans tendre la longe.

Comment l'attacher

Les chevaux doivent pouvoir s'échapper en cas d'urgence, c'est pourquoi il ne faut jamais les attacher directement à un mur ou à un objet. Attache la longe à l'aide d'un petit anneau de ficelle, qui puisse se rompre si le cheval panique. Puis fais un nœud d'attache, comme sur l'illustration ci-dessous.

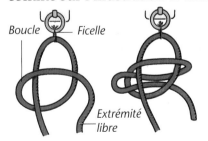

Boucle — Ficelle

Extrémité libre

Boucle de corde

Passe la longe dans la ficelle. Puis ramène-la sur elle-même, en réalisant une boucle.

Replie l'extrémité libre de la longe et passe-la derrière le reste, puis à travers la boucle.

Pour serrer le nœud, tire sur la partie pliée de la longe. Pour détacher le nœud rapidement, tire sur l'extrémité libre.

LA VIE AU GRAND AIR

La plupart des chevaux et poneys passent au moins une partie de l'année au pré. C'est moins coûteux et plus naturel que la vie en écurie. Toutefois, les chevaux vivant à l'extérieur nécessitent aussi des soins quotidiens.

Un pâturage adapté

L'idée de garder un cheval dehors paraît simple, mais un pré nécessite un entretien régulier pour assurer une pâture suffisante. Chaque cheval a besoin d'un demi-hectare de terrain, voire plus si possible. L'herbe doit être saine et dépourvue de plantes toxiques telles que la jacobée ou l'if.

Une source d'eau propre est essentielle : un cheval boit environ 36 litres par jour. Idéalement, le pré est équipé

Il est important que l'eau de l'abreuvoir soit propre et claire.

d'un abreuvoir alimenté automatiquement par l'eau courante. Sinon, remplis chaque jour l'abreuvoir avec des seaux d'eau fraîche. Si l'eau devient trouble, vide l'abreuvoir et gratte-le avec une brosse propre, sans utiliser de détergent.

L'abri

Les chevaux ont également besoin d'un abri pour se protéger des mouches, du soleil et des intempéries. Pour certains poneys, une grande haie bien fournie est suffisante, mais idéalement ils doivent disposer d'un abri fermé sur trois côtés. Le côté ouvert leur permet de rentrer et sortir facilement, et leur évite de rester coincés à l'intérieur.

Un abri doit toujours être doté d'une grande ouverture.

Ces chevaux disposent d'un grand pré et d'herbe fraîche pour brouter.

Diviser le pré

Si les chevaux vivent dans le même pré pendant longtemps, celui-ci risque le surpâturage. Les zones où les chevaux ont beaucoup brouté sont rasées, et d'autres, à l'endroit des crottins, sont couvertes de hautes herbes infestées de vers. Pour empêcher cela, divise le pré en sections clôturées et utilise-les en rotation.

Une moitié de ce pré est au repos.

L'alimentation

Un cheval qui vit au pré pendant presque toute l'année et qui n'est pas monté n'a besoin d'aucun complément alimentaire en été. En hiver, il lui faut seulement du foin.

Si un cheval est régulièrement monté, il a besoin d'autres aliments, tels que des granulés ou des céréales, ou encore de la pulpe de betterave, pour conserver son énergie. La quantité nécessaire dépend de sa taille et du travail fourni.

Le foin haché est un excellent complément du régime alimentaire en hiver.

Les granulés sont une excellente source d'énergie pour les chevaux qui travaillent.

Les besoins quotidiens d'un cheval

Lorsqu'un cheval se contente de brouter à longueur de journée, il faut veiller chaque jour à ce qu'il se porte bien. D'abord, vérifie qu'il est en bonne santé, dépourvu de blessures (voir p. 75).

Assure-toi qu'il n'y a pas d'ouverture dans la clôture ou dans la haie autour du pré. Enlève tout objet coupant qui pourrait blesser ton cheval.

Parcours le pré : enlève tout objet qui traîne et bouche les trous dans lesquels le cheval risque de se prendre les pieds.

Prends une brouette et enlève tous les crottins. Ce faisant, tu diminues le risque d'altération du pré (voir ci-contre).

Emporte le crottin et déverse-le sur un tas de fumier.

Prévenir la solitude

En tant qu'animal grégaire, le cheval risque de souffrir s'il se retrouve seul dans son pré. Dans la mesure du possible, un cheval doit vivre en compagnie d'au moins un congénère. À défaut, la compagnie d'un autre animal, tel qu'un mouton, fera l'affaire.

LES CHEVAUX À L'ÉCURIE

Un cheval qui vit à l'écurie nécessite beaucoup de soins, car il ne peut pas pourvoir à ses besoins comme à l'extérieur. Il lui est impossible de brouter, de se rouler par terre et de faire de l'exercice : c'est la responsabilité de son propriétaire de veiller à son bien-être.

Parfois, les chevaux à l'écurie s'ennuient, c'est pourquoi ils aiment mettre le nez dehors et regarder ce qu'il se passe.

Une écurie bien conçue

L'écurie (ou le box) doit mesurer au moins 4 x 4 m pour que le cheval ait assez de place. Elle doit se trouver dans un bâtiment solide, pourvu d'un toit qui ne fuit pas et d'un système de drainage convenable.

Le toit doit être entretenu pour éviter les fuites.

L'installation électrique doit être conforme et l'éclairage hors de portée du cheval.

Les murs sont assez solides pour résister aux coups de sabots ou au poids d'un cheval qui s'y appuie.

La porte à double battant permet au cheval de regarder dehors. La moitié supérieure est maintenue ouverte par un crochet.

Une fenêtre équipée d'une grille assure une ventilation permanente.

Mangeoire

Seau d'eau

Pour le sol, un matériau comme le béton brut qui n'est ni trop lisse ni trop glissant convient parfaitement. Un éclairage électrique est nécessaire pour voir le cheval lorsqu'il fait noir.

Une bonne ventilation est très importante. La porte doit comporter deux battants, pour qu'on puisse laisser ouverte la partie supérieure. Il y a également des fenêtres ou des bouches d'aération ouvertes en permanence – tu peux mettre une couverture sur ton cheval s'il fait froid.

La disposition est simple et les installations sont minimales. Seuls accessoires indispensables : un anneau fixé au mur pour pouvoir attacher le cheval, un râtelier à foin ou un autre anneau destiné à attacher un filet à foin, et une mangeoire pour les autres aliments.

Alimentation et eau fraîche

Un cheval à l'écurie doit disposer de foin à volonté, pour qu'il puisse en manger à son gré. S'il travaille, il faut aussi lui donner des aliments complets, qui constituent une bonne source d'énergie. En voici quelques exemples (voir ci-contre). La quantité requise est différente en fonction de la taille de l'animal et du travail qu'il fournit.

Une source d'eau constamment approvisionnée est essentielle. Un abreuvoir automatique qui se remplit lorsque le cheval boit est préférable. Un seau convient, mais il faut le remplir plusieurs fois par jour. La nuit, prévois deux seaux d'eau.

Les pommes et les carottes sont essentielles si ton cheval ne mange pas d'herbe fraîche.

Orge

Pulpe de betterave à sucre séchée

Foin haché

Granulés

Son

Maïs aplati

Aliments composés

Avoine

L'exercice et le pansage

Un cheval qui vit à l'écurie a également besoin d'exercice et de pansage : au pré, il subvient à ces besoins naturellement. Tu découvriras aux pages 82 et 83 comment faire un pansage complet.

La litière idéale

La litière d'un cheval doit être profonde, propre et confortable pour lui permettre de se coucher sans s'érafler sur un sol dur. Elle peut être constituée de paille, de copeaux de bois ou de papier journal déchiqueté. Il est également possible de recouvrir le sol de tapis en caoutchouc, ce qui diminue la quantité de litière requise.

L'ÉCURIE

Le nettoyage de l'écurie et de la litière sont des tâches de base, mais qu'il faut exécuter tous les jours. Il est important de respecter une routine, pour que ton cheval puisse prévoir tes visites.

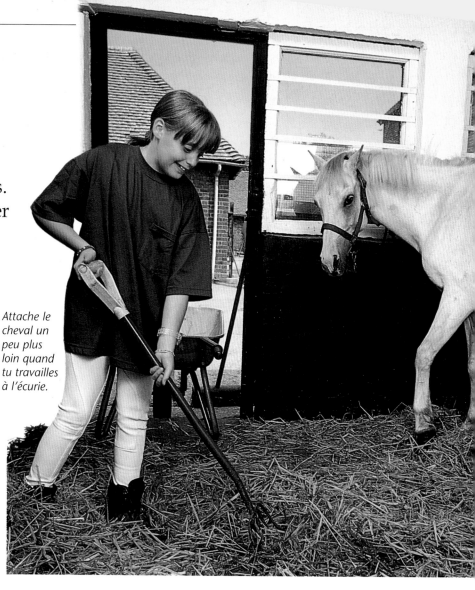

Attache le cheval un peu plus loin quand tu travailles à l'écurie.

Matériel

Pour nettoyer l'écurie, il te faut quelques outils essentiels :

Des gants en caoutchouc pour la manipulation du crottin

Une fourche à quatre dents pour ramasser la litière.

Une brouette pour déplacer le crottin et la litière.

Une pelle pour ramasser les tas de crottins.

Un balai en chiendent pour balayer le sol.

Un tuyau d'arrosage pour laver la cour et le sol du box.

Une fourche à dents rapprochées pour les copeaux ou le papier journal

Nettoyage du box

Un cheval produit un volume de crottin important chaque jour, c'est pourquoi il est essentiel de nettoyer le box régulièrement. Il faut faire un nettoyage complet (voir page de droite) une fois par jour. Cela consiste à enlever toute la litière souillée et à la remplacer par de la paille (ou autre matière) propre.

On peut aussi simplement enlever le crottin (voir ci-contre), ce plusieurs fois par jour.

Enlever le crottin

C'est une tâche très rapide. Porte des gants en caoutchouc et ramasse le crottin à la main ou avec une fourche. Si la litière est en paille, utilise de préférence une fourche. Quelle que soit ta méthode, dépose le crottin dans la brouette en évitant d'y mettre trop de litière par la même occasion.

Si tu utilises une fourche, secoue-la au-dessus de la brouette. Le crottin tombera en laissant la paille sur la fourche.

Un nettoyage complet

1. Pour effectuer un nettoyage complet, il te faut une fourche, un balai et une brouette. Mets ton cheval au pré ou attache-le dehors afin qu'il ne te gêne pas.

2. Avec la fourche, dépose tout le crottin et la litière souillée dans une brouette. Trie la litière propre et entasse-la dans un coin de l'écurie.

3. Lorsque toute la litière propre est entassée, balaie le sol. Emporte les déchets au tas de fumier et laisse sécher les endroits humides.

Préparer la litière

Une fois que tu as nettoyé, il te faut refaire le « lit » de ton cheval. Commence par mettre de la litière fraîche dans une brouette que tu laisseras à l'entrée de l'écurie le temps que tu travailles.

À l'aide d'une fourche, étale la litière propre (celle qui a déjà servi) sur le sol. Puis dispose le contenu de la brouette par-dessus en couches successives. Si c'est de la paille, prends-en dans tes bras, secoue-la bien afin de l'aérer avant de la disposer par terre.

La litière doit t'arriver à la cheville et doit être plus profonde près des murs de l'écurie. C'est un moyen de créer un lieu douillet à l'abri des courants d'air et d'empêcher le cheval de rester coincé contre un mur lorsqu'il se couche.

Une litière bien épaisse empêche que le cheval se fasse mal aux membres sur le sol dur.

Établir une routine

Il suffit de peu de choses pour perturber et contrarier un cheval s'il ne sait pas à quoi s'attendre au cours d'une journée. C'est pourquoi il est important d'établir une routine.

Si possible, alimentation, pansage et nettoyage doivent avoir lieu à la même heure tous les jours. Le cheval comprend très vite qu'il peut prévoir une visite et il s'en réjouit.

EN PLEINE FORME

Même un cheval dont on s'occupe bien peut, à un moment donné, avoir un problème de santé. Il s'agit soit d'un problème mental résultant de l'ennui ou de la frustration suscités par la vie à l'écurie, soit d'un problème physique tel que des coliques ou la fourbure. Heureusement, la plupart des maladies peuvent être traitées avec succès à condition de s'y prendre assez tôt.

Les mauvaises manières

La vie à l'écurie est contre nature pour les chevaux et certains la supportent mal. Elle peut provoquer chez eux un mauvais comportement : ils mordent, ils donnent des coups de pieds ou bousculent les gens. Il faut se montrer ferme. Dis « Non ! » à ton cheval en lui donnant une claque sur l'encolure. Ne le tape jamais sur la tête cependant, car cela risque de l'effrayer et, par la suite, il aurait peur qu'on le touche.

Tu peux encourager un cheval à avoir de bonnes manières en passant du temps avec lui à l'écurie.

D'autres problèmes

Stress et ennui peuvent être à l'origine de mauvaises habitudes appelées « vices ». Les plus courants sont le tic de l'ours (le cheval balance la tête d'un côté à l'autre), le tic aérophagique (il avale de l'air) et le tic rongeur (il mordille tout ce qu'il trouve).

Le tic rongeur trahit souvent l'ennui.

Comment combattre les vices

Les vices sont difficiles à guérir si on ne s'en aperçoit pas tout de suite : il vaut mieux essayer de les prévenir que de les guérir. La meilleure méthode est de mettre le cheval au pré autant que possible et de lui donner beaucoup de foin pour qu'il n'ait pas le temps de s'ennuyer et de s'énerver.

Si toutefois un cheval acquiert un vice, certaines mesures pratiques l'en dissuaderont. S'il commence à ronger la porte, peins-la avec un produit spécial au goût répulsif.

S'il développe le tic de l'ours, tu peux installer sur la porte du box une grille qui l'empêche de balancer la tête. Pour combattre le tic aérophagique, il existe des colliers qu'on attache sur l'encolure du cheval pour l'empêcher d'avaler de l'air.

Une porte de box pourvue d'une grille

Vérifications quotidiennes de la santé

Il faut ausculter ton cheval quotidiennement pour relever tout signe de blessure ou de maladie. Passe une main sur son corps et sur chacun des membres. S'il a mal, il bronchera. Recherche enflures, blessures ou échauffement. S'il ne se sent pas bien, ses oreilles seront froides, sa queue sera basse et sa robe paraîtra rêche. S'il a mal, il sera agité et piaffera. On verra peut-être le blanc de ses yeux et il risque de commencer à transpirer.

Vérifie que ses yeux sont clairs et sans écoulement.

Une auscultation quotidienne requiert peu de temps, mais elle peut permettre de déceler les problèmes de santé avant qu'ils ne s'aggravent.

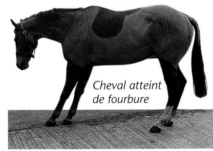

Assure-toi qu'il mange sans difficulté et sans rejeter de nourriture.

Vérifie que la fourchette et la sole sont dépourvues de blessures ou d'enflures.

Problèmes de santé courants

Les coliques, la fourbure et les crevasses sont toutes des problèmes courants dont il faut être avisé.

• Les coliques sont des douleurs dans le ventre. Un cheval qui en souffre est agité et transpire légèrement. Il peut se donner des coups dans le ventre, piaffer et tenter de se rouler par terre.
• Les crevasses (ou prise de longe) accompagnées d'enflure apparaissent sur les talons, en général lorsque le cheval stationne dans un pré humide et boueux.

Cheval atteint de fourbure

• La fourbure est une inflammation des pieds résultant d'une consommation excessive d'herbe trop riche. Ses sabots sont chauds et il essaie de s'appuyer sur ses talons pour soulager la douleur.

Le bon traitement

Si certains problèmes se traitent assez facilement, il vaut toujours mieux faire appel à un vétérinaire si tu as des doutes concernant la marche à suivre, surtout s'il s'agit de fourbure ou de coliques, qui nécessitent un traitement médicalisé.

LES SABOTS ET LES FERS

Lorsque tu montes un cheval, ses pieds doivent supporter ton poids ainsi que le sien, aussi subissent-ils beaucoup d'usure. Il est donc très important de s'en occuper en soignant les sabots et les fers.

On tient normalement le cure-pied de la main la plus éloignée du cheval. Certains, toutefois, trouvent plus facile de se servir de la main droite.

Les sabots

Tout comme les ongles des hommes, les sabots d'un cheval poussent sans cesse. Chez un cheval sauvage, ils s'usent naturellement, mais si un cheval domestique est souvent monté sur un sol dur, ils risquent de s'user plus rapidement qu'ils ne repoussent.

Les fers protègent les sabots et empêchent qu'ils s'usent. Ces derniers, toutefois, continuent à pousser, donc il faut les parer. Parer et ferrer les sabots, c'est le travail du maréchal-ferrant.

L'anatomie du sabot

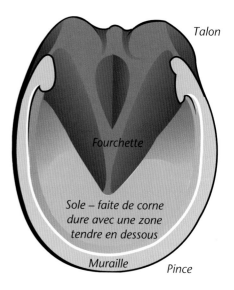

Talon

Fourchette

Sole – faite de corne dure avec une zone tendre en dessous

Muraille

Pince

La fourchette, qui ressemble à du caoutchouc, est sensible. La muraille est faite de corne dure insensible à la douleur.

Curer les pieds d'un cheval

Dans le box, en promenade ou dans le pré, les sabots d'un cheval se salissent, boue et pierres s'y incrustent. C'est pourquoi il faut les nettoyer ou curer régulièrement avec un cure-pied. Le curage doit être pratiqué une fois par jour, ainsi qu'avant et après chaque sortie.

1. Place-toi au niveau de l'épaule du cheval et glisse une main le long de son antérieur. Saisis son pied et soulève-le en disant « pied ».

2. Gratte la saleté en tenant le cure-pied la pointe en avant. Pars du talon, contourne la fourchette et termine par la pince.

3. Ensuite, assure-toi que la sole du sabot n'est pas blessée ou endommagée et que le fer n'est pas usé (voir page suivante).

4. Pour terminer, enduis le sabot avec de l'onguent à pieds. Cela protège la corne et donne de l'éclat au pied.

Le maréchal-ferrant

Un cheval doit être vu par un maréchal-ferrant environ une fois par mois. Tu peux l'aider en t'assurant que les membres et les sabots du cheval sont propres avant son arrivée. Prépare le cheval en lui mettant un licol de façon à pouvoir le tenir pendant la séance.

Le maréchal-ferrant adapte le fer au travail que fait le cheval. Les chevaux qui sont montés, par exemple, sont souvent ferrés avec un fer de chasse (ci-dessous) et les chevaux de course avec des fers très légers. Si un cheval a un problème de pied, des fers de forme spéciale peuvent aider à le résoudre.

Le maréchal-ferrant regarde la forme et l'état de chaque sabot avec soin.

Le maréchal-ferrant râpe la sole pour l'égaliser.

Fer de chasse. Les rainures assurent une bonne adhésion sur sol meuble.

Fer de course. C'est un fer très léger prévu pour que le cheval coure plus vite.

Comment reconnaître une ferrure usée

La plupart des chevaux ont besoin d'un nouveau ferrage à intervalle de quatre à six semaines. Toutefois, appelle le maréchal-ferrant si tu remarques que :

• Les clous qui maintiennent le fer ne sont pas bien rivés.

• Un fer est branlant – il rendra un son grêle sur route.

• Un fer est déjà tombé.

• Les fers sont usés.

• Les sabots ont poussé et doivent être parés.

Avant le ferrage. Ce fer, vieux et usé, doit être remplacé.

Après le ferrage. Voici un fer neuf correctement ajusté.

Il est important que les fers d'un cheval soient bien ajustés, sinon ils risquent d'endommager ses pieds. Après le ferrage, fais les vérifications suivantes :

• Les fers sont de la bonne taille et adaptés aux pieds.

• Les sabots sont correctement parés.

• Les clous sont bien rivés.

• Les têtes de clous sont à équidistance et à même hauteur.

TONTE ET COUVERTURES

En hiver, le poil d'un cheval s'étoffe pour préserver la chaleur. L'exercice le réchauffe : la robe d'un cheval qui travaille doit donc être tondue pour éviter qu'il ait trop chaud. Mais au repos, il lui faudra peut-être une couverture pour le protéger du froid.

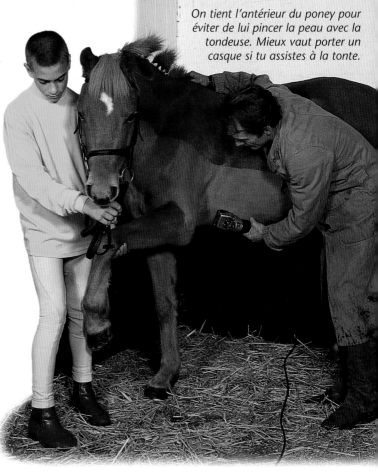

On tient l'antérieur du poney pour éviter de lui pincer la peau avec la tondeuse. Mieux vaut porter un casque si tu assistes à la tonte.

La tonte

Il existe divers types de tonte. Le choix dépend du travail fourni par le cheval ainsi que de son logement : au pré ou à l'écurie. La plupart des tontes laissent une partie du poil qui protège le cheval, mais les chevaux d'exhibition (voir page 140) sont parfois entièrement tondus. Les chevaux western ne sont jamais tondus.

Tonte en bavoir. Seuls le poitrail et la gorge sont tondus.

C'est la meilleure tonte pour un cheval qui travaille peu et vit dehors. Il n'a pas forcément besoin d'une couverture.

Tonte de trait. Les flancs, le ventre, le poitrail et la gorge sont tondus.

Elle convient à un cheval qui participe à des concours mais vit dehors. Au repos, il lui faut une couverture.

Tonte en manteau. Seuls le dos et les membres ne sont pas tondus.

Cette tonte convient à un cheval qui travaille beaucoup. La nuit, il doit rentrer au box et porter une couverture au repos.

Tonte de chasse. Le dos sous la selle et les membres ne sont pas tondus.

Ainsi, un cheval qui travaille beaucoup n'a pas trop chaud. Au repos, il doit vivre à l'écurie et porter une couverture chaude.

Coupe d'entretien

La tonte est un travail d'expert qui doit être exécuté uniquement par une personne expérimentée ; par contre, la taille des fanons est plus facile, et tu peux la faire toi-même. Assure-toi que le poil est propre et sec. À l'aide d'une paire de ciseaux aux extrémités arrondies, coupe les poils en faisant très attention de ne pas pincer la peau.

Boulets. Passe un peigne à rebrousse-poil et coupe ce qui dépasse du peigne.

Couronnes. Coupe les poils qui poussent sur le sabot pour produire une coupe droite.

78

Les couvertures

Si un cheval est tondu ou vit dehors en hiver, il risque d'avoir besoin d'une couverture pour le maintenir au chaud. Lorsqu'un cheval est au pré, une couverture de pré convient parfaitement. C'est une couverture imperméable très résistante en coton ou nylon, dotée d'une doublure chaude. Elle couvre le garrot et la queue et doit être assez longue de chaque côté pour couvrir les flancs. Elle se porte près du corps, sans être serrée.

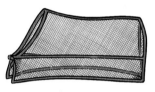

Ce cheval porte une couverture de pré.

D'autres couvertures

Il existe d'autres types de couvertures que tu connais peut-être. Elles peuvent servir à protéger un cheval du froid ou de la pluie, ou simplement empêcher que son poil se salisse après le pansage.

Une couverture d'écurie est chaude et matelassée. Peut servir dans l'écurie de jour et de nuit, uniquement sur un cheval tondu.

Une chemise d'été est une couverture en coton ou en lin qui protège contre la poussière et les insectes.

La chemise nid d'abeilles, en maille, permet à un cheval qui transpire de se rafraîchir sans prendre froid.

Mettre une couverture de pré

1. Plie la couverture en quatre. Tiens-toi à côté de l'épaule gauche du cheval et place la couverture sur son dos. Déplie-la doucement.

2. Assure-toi que la couverture couvre entièrement le dos du cheval et que la couture du milieu longe bien sa colonne vertébrale.

3. Si la couverture est trop avancée, tire-la en arrière. Si elle est trop en arrière, soulève-la pour la déplacer afin d'éviter de rebrousser le poil.

4. Attache les sangles autour du ventre (les sursangles). Puis attache les lanières sur le poitrail, sans trop les serrer.

5. Attache les courroies de cuisse : la gauche d'abord, puis passe la droite dedans pour éviter que la couverture glisse. Attache-la.

6. Si la couverture est portée tout la nuit, vérifie-la lors de ta dernière visite. Il vaut mieux l'ôter, la secouer et la remettre.

L'ENTRETIEN DU HARNAIS

Le harnachement (ou harnais) est coûteux, mais, bien entretenu, il dure des années. Il faut pour cela le nettoyer régulièrement, et le cuir doit être astiqué.

Quand nettoyer ?

Il faut essuyer la sellerie après chaque utilisation. Sers-toi d'un chiffon humide pour essuyer le cuir et rince le mors avec de l'eau chaude. Environ une fois par semaine, démonte la selle et le bridon et frotte-les à l'aide de savon de selle. Essaie alors de repérer les traces d'usure éventuelles, notamment des boucles.

Astique le cuir comme ceci, avec du savon de selle : il conservera sa souplesse.

Matériel nécessaire pour nettoyer la sellerie

Seau pour l'eau

Deux éponges : une pour laver, une pour passer le savon.

Savon de selle

Peau de chamois pour sécher le cuir.

Produit d'entretien du métal et chiffon pour l'appliquer.

Chiffon pour frotter le métal (jusqu'à ce qu'il brille).

Couteau émoussé pour enlever les saletés.

Nettoyage d'une selle classique ou western

Enlève la ou les sangles ainsi que les étrivières. Passe une éponge humide sur la selle et sèche-la avec une peau de chamois. Ensuite, humidifie le savon de selle et frotte-le sur l'éponge.

Fais pénétrer du savon sur toute la selle, même le dessous. Procède par petits mouvements circulaires et remets du savon régulièrement. Puis nettoie les étrivières et la sangle si celle-ci est en cuir.

Enlève et lave les étriers séparément. Finalement, si tu utilises une sangle en tissu et un tapis de selle, nettoie-les. Brosse-les pour enlever la boue et les poils, et lave-les à l'eau et au savon doux.

Laver le filet

Pour nettoyer le filet à fond, il faut le démonter. Pose les différentes parties sur une table. Lave le mors dans de l'eau chaude : n'utilise pas de savon, cela lui donnerait mauvais goût. Ensuite, mets du savon sur une éponge comme précédemment et étales-en sur chaque lanière. Puis, astique chaque boucle d'attache et toute décoration métallique. Lorsque tout est propre, remonte le filet.

Savonner une lanière en cuir

Démonter le filet

Laver le mors

Pour savonner une lanière, fais-la glisser dans l'éponge pliée en deux. Tiens-la fermement et passe l'éponge vigoureusement du haut jusqu'en bas.

Remonter le filet

Il existe une grande diversité de brides, mais le filet est le plus courant. Ces images te montrent comment l'assembler.

Lorsque tu attaches les rênes, suspends-les ainsi sur ton bras pour éviter qu'elles s'emmêlent.

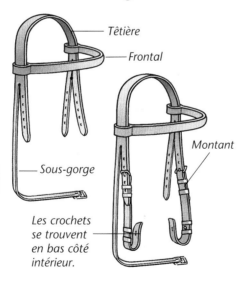

Têtière

Frontal

Sous-gorge

Les crochets se trouvent en bas côté intérieur.

Montant

Mors

Muserolle

Le mors doit s'incurver vers le bas.

Rênes

Commence par enfiler la têtière dans le frontal. Puis, attache les deux montants à la têtière. N'attache pas la sous-gorge.

Fixe ensuite le mors à l'aide des crochets. Si tu utilises une muserolle, enfile-la dans le frontal. Pour terminer, fixe les rênes au mors.

LE PANSAGE

Panser son cheval est un bon moyen d'apprendre à le connaître.

Le pansage est l'entretien du poil d'un cheval. Il contribue à maintenir la bonne santé de sa peau et à donner un aspect lisse et brillant à sa robe. À l'état sauvage, les chevaux se pansent mutuellement, mais si un cheval t'appartient… il t'appartient aussi de le panser !

Le matériel de pansage

Pour panser un cheval, tu as besoin du matériel illustré ci-dessous. Range les brosses dans une boîte imperméable et lave-les toutes les semaines.

Bouchon en chiendent pour enlever la boue.

Brosse douce pour enlever la graisse et la crasse.

Étrille en métal pour nettoyer la brosse douce.

Cure-pied pour nettoyer les sabots. (voir pages 76 et 77).

Époussette pour sécher ou lustrer le poil.

Étrille en caoutchouc pour enlever le poil qui tombe.

Une éponge distincte pour nettoyer chaque zone : yeux, nez et anus.

Brosse à eau pour humidifier les crins.

Les chevaux qui vivent dehors

Un cheval qui vit dehors n'a besoin que d'un pansage léger avant d'être monté. Un pansage complet lui enlèverait les huiles présentes dans son poil qui le protègent contre les insectes et les intempéries. Toutefois, lorsqu'il s'apprête à perdre son poil d'hiver, un pansage plus complet s'impose.

Pour un pansage léger, brosse le corps et les membres avec le bouchon en t'assurant que les zones situées autour de la selle et de la sangle sont propres et sèches. Pour la tête, la crinière et la queue, utilise une brosse douce. Cure les pieds et passe une éponge sur la tête et l'anus.

À l'écurie

Le poil d'un cheval qui vit à l'écurie risque de se salir. Tu peux le panser rapidement avant de le sortir (voir page suivante).

Toutefois, il faut lui faire un pansage complet chaque jour pour maintenir sa robe en état. Il est préférable de le faire après l'avoir monté. Après un effort, lorsqu'il a chaud, les pores de sa peau sont ouverts, ce qui facilite l'évacuation de la saleté.

Un pansage rapide

1. Détache la couverture, replie-la sur l'arrière-main et passe la brosse douce sur la partie découverte. Puis, plie la couverture vers l'avant et brosse l'arrière-main.

2. À l'aide d'une brosse à eau, enlève d'éventuelles taches. Sèche les parties humides avec une époussette. Brosse la tête avec une brosse douce.

3. Lave les yeux et les naseaux à l'éponge. Retire les brins de paille accrochés à la crinière ou à la queue. Essuie l'anus et cure les pieds.

Pansage complet

Utilise le bouchon uniquement sur le poil non tondu.

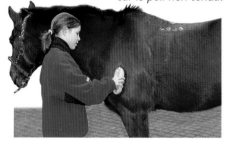

1. En premier, cure les pieds du cheval. S'il est sale, passe le bouchon sur son encolure, son corps et ses membres, toujours dans le sens du poil.

2. Passe la brosse douce sur encolure, corps et membres, en gestes amples et fermes. Racle la brosse avec l'étrille plusieurs fois pour la nettoyer.

3. Pour la tête, défais le licol et, tout en maintenant le nez, nettoie avec la brosse douce. Avec une éponge, lave yeux, nez et lèvres à l'eau tiède.

4. Attache de nouveau le cheval et repousse sa crinière d'un côté pour brosser en dessous. Avec une brosse à eau humide, remets la crinière en place par mèches.

5. Au cas où le cheval botterait, il est préférable de se tenir d'un côté de sa queue. Retire la paille et brosse-la mèche par mèche. Essuie l'anus.

6. Lustre la robe avec une époussette humide. S'il porte une couverture, remets-la en place (voir p. 79). Enfin, passe de l'onguent sur ses sabots.

APRÈS LA MONTE

Il est essentiel de s'occuper de son cheval correctement après être monté, surtout si le travail a été important. En suivant la routine décrite ci-après, tu aideras ton cheval à récupérer après l'effort. Une routine régulière aide également à le calmer.

De retour à l'écurie

S'il fait chaud après le travail, attache le cheval dans la cour. S'il fait froid, enferme-le dans son box. Puis, assure-toi qu'il n'a ni blessure ni égratignure.

Enlève le harnachement et mets-lui un licol. S'il est au box, ne l'attache pas pendant que tu ranges le harnais : il pourra se rouler par terre s'il en a envie.

Si le cheval a chaud, desserre la sangle sans enlever la selle pendant plusieurs minutes pour éviter que son dos prenne froid.

Routine

Si ton cheval est en sueur, commence par le sécher à l'aide d'une époussette. S'il transpire beaucoup, essuie-le à l'aide d'une éponge et de l'eau tiède, puis sèche-le avec un couteau de chaleur. Laisse-le boire un peu et donne-lui du foin pour qu'il mange pendant que tu le panses (voir pp. 82 et 83).

Au moment de panser ses membres, vérifie qu'ils ne sont pas blessés. Demande de l'aide s'ils te paraissent chauds ou enflés. Vérifie sa température en palpant ses oreilles. Si elles sont froides, il a peut-être besoin d'une couverture supplémentaire. Caresse-les pour les réchauffer.

Ensuite, mets-lui la chemise et la couverture (voir p. 79) s'il en a l'habitude. Maintenant, tu peux le mettre au pré ou dans son box. Pour terminer, donne-lui de l'eau et un petit repas en veillant à ce qu'il soit installé confortablement avant ton départ. Vérifie ses couvertures et assure-toi qu'il ne manque ni d'eau ni de foin.

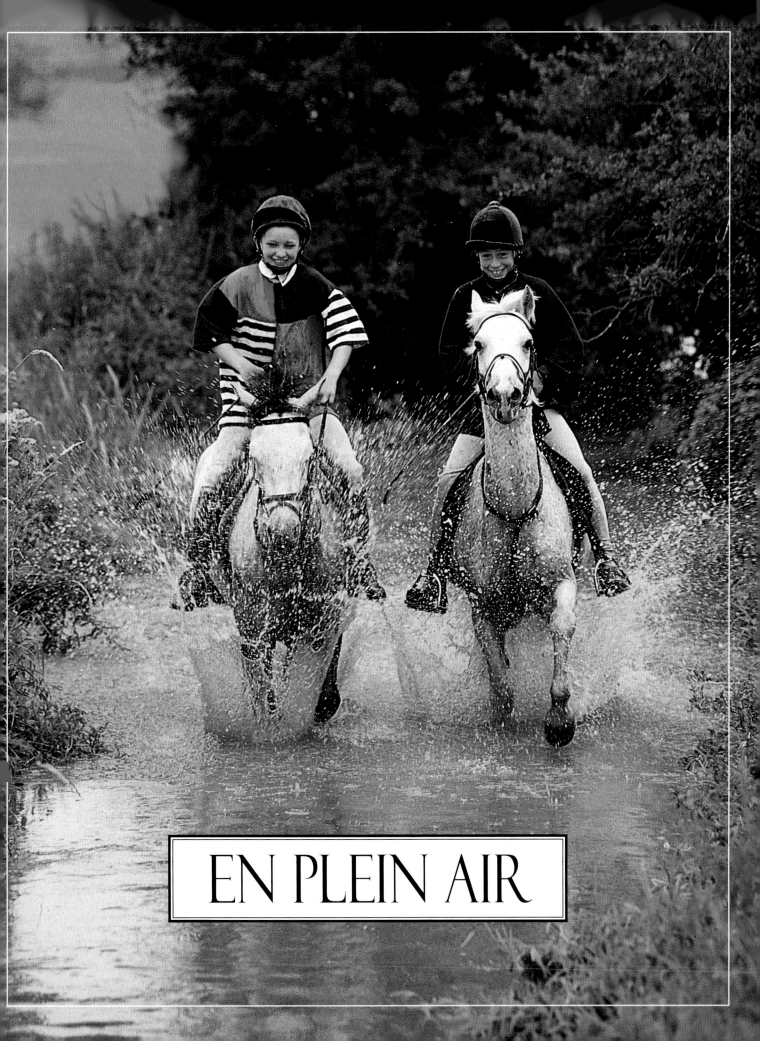

EN PLEIN AIR

PROMENADES

Lorsqu'on se promène à cheval, on peut emprunter les routes, les sentiers ou traverser les prés. C'est une bonne façon d'améliorer ses compétences, et le simple fait de se détendre en sortant du manège ne peut qu'améliorer l'équilibre ainsi que la posture.

Organisation

Quand tu fais une promenade, choisis toujours ton circuit à l'avance et fais-en part à quelqu'un. Dans l'ensemble, les plans régionaux indiquent les sentiers qui sont des pistes cavalières. Si tu veux traverser des champs ou une propriété privée, demande l'autorisation. S'il s'agit de ta première sortie, il vaut mieux être accompagné d'une personne expérimentée qui connaît la région et les bonnes pistes.

Promenades en groupe

Toutefois, mieux vaut sortir en groupe. Dans ce cas, pense à maintenir une distance convenable entre les chevaux. En file unique, laisse un espace de la taille d'un cheval entre toi et le cheval qui te précède. Préviens les autres cavaliers lorsque tu vas changer d'allure. Au petit galop, les cavaliers du groupe doivent avancer deux par deux, sinon les chevaux risquent de s'exciter et de faire la course.

En dehors du manège

Un objet ou un son inconnus peuvent effrayer un cheval.

Un cavalier apprend en général dans un manège ou une carrière. Mais à l'extérieur, ton cheval peut être plus difficile à maîtriser. S'il a peur ou s'excite, sois ferme mais calme. Il détecte la nervosité !

Monter en groupe est plus amusant et plus sûr que monter seul.

Différents types de terrain

Lorsqu'on fait des promenades, on est amené à traverser toute une variété de terrains et par conséquent à changer d'allure en fonction des conditions.

En terrain difficile ou inégal, laisse le cheval avancer au pas lentement. Sur un terrain dur et sec, avance au pas ou au trot, sans galoper ni sauter.

Le petit galop ne se pratique que sur un terrain ferme et plat, sans pierres coupantes ni trous. Ne pars pas au galop chaque fois que tu vois une zone d'herbe, car ton cheval risque d'en prendre l'habitude.

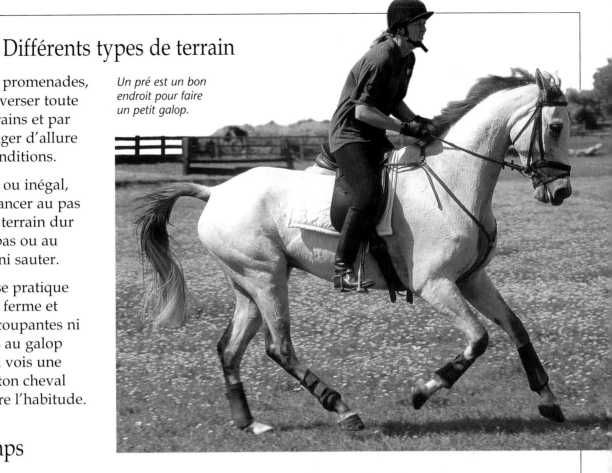

Un pré est un bon endroit pour faire un petit galop.

Le temps

Essaie de te rendre compte de l'effet que produit le temps sur le terrain. S'il fait chaud, il sera sec et dur. Pluie ou gel le rendent plus glissant. Évite les terrains boueux, cela risque d'éprouver les membres de ton cheval.

Le temps peut aussi influer sur l'humeur de ton cheval. S'il fait chaud, il risque d'être somnolent ou paresseux. Par temps venteux, davantage d'objets risquent de l'effrayer.

Une route mouillée peut s'avérer glissante : prudence, et ralentis. Si possible, le cheval doit porter des guêtres pour protéger ses membres en cas de chute.

Monter et descendre les côtes

Le fait de monter et de descendre les côtes fatigue ton cheval, mais tu peux l'aider en adaptant légèrement ta position. Il aura un meilleur équilibre sur la pente.

Monter une pente

Pour monter une pente, incline-toi vers l'avant au niveau des hanches pour soulager l'arrière-main du cheval de ton poids. Cède une bonne longueur de rêne pour qu'il puisse s'équilibrer en utilisant tête et encolure, mais garde le contact avec sa bouche.

Descendre une pente

Lorsque tu descends une pente, tiens-toi verticalement et baisse les talons pour empêcher que tes pieds ne glissent à travers les étriers. Maintiens le contact avec la bouche du cheval, tout en le laissant tendre l'encolure : cela l'aide à s'équilibrer.

LES TECHNIQUES

Monter en extérieur fait appel à des compétences qui diffèrent de celles utilisées dans un manège. Il est très important de réagir correctement lors d'une promenade à travers champs ou prés et d'observer quelques règles de prudence élémentaires sur une route.

Il est passionnant de se promener à travers champs, mais demande toujours la permission et respecte les règles équestres.

Règles équestres

Voici quelques règles qu'il faut respecter lorsque tu montes en extérieur.

• S'il y en a un, reste toujours sur le sentier ou le chemin, et demande la permission avant de traverser une propriété privée.

• Évite de traverser des champs labourés ou des champs ensemencés. S'il n'y a pas de chemin, reste à la périphérie du champ.

• Sois prévenant. Si tu croises des piétons ou des cavaliers, ralentis au pas.

• Si tu croises des animaux dans un champ, contourne-les lentement, afin de ne pas les déranger.

• Si tu ouvres une barrière, referme-la.

Ouvrir et refermer les barrières

Si tu as besoin de franchir une barrière, tu peux descendre de selle et conduire ton cheval à la main. Mais, avec un peu d'entraînement, il est possible d'ouvrir et de refermer une barrière sans descendre.

Aborde la barrière en positionnant l'épaule de ta monture près du loquet.

Penche-toi pour ouvrir la barrière. Assure-toi qu'elle ne cogne pas ton cheval.

Franchis-la lentement tout en gardant la main dessus pour l'empêcher de se refermer.

Fais faire demi-tour à ton cheval afin de le ramener près de la barrière, puis referme-la.

Monter sur une route

Il vaut mieux éviter de monter sur une route, surtout s'il y a de la circulation, mais ce n'est pas toujours possible. Si tu y es contraint, assure-toi que ton cheval a l'habitude de la circulation et que tu connais le code de la route. Il est préférable de souscrire une assurance en cas d'accident et, dans la mesure du possible, de passer un examen proposé par le poney-club, dans lequel tes compétences sur la route seront testées.

Tant que tu n'as pas l'habitude de monter sur route, fais-toi accompagner par une personne expérimentée.

Sauf quand tu dépasses un autre cheval, tiens-toi toujours à droite pour laisser passer les voitures.

Sécurité routière

• Sois vigilant et assure-toi que ta monture répond à tes aides.

• Reste à droite, voire sur le bas-côté, si possible. Avance au pas ou au trot, jamais au petit galop, même sur le bas-côté.

• Remercie les conducteurs qui ralentissent par un signe de main, de tête, ou par un sourire.

• Si tu veux changer de direction, signale-le aux conducteurs. Si tu tournes à gauche, tends le bras gauche. Pour tourner à droite, tends le bras droit.

• Si tu vois un objet susceptible de faire peur à ta monture, attends que la route soit dégagée avant de t'en approcher.

• Si tu mènes un cheval à la main, reste sur la droite, à l'écart de la circulation.

• Porte des vêtements réfléchissants pour qu'on te voie, surtout s'il pleut ou à la tombée de la nuit.

Les vêtements réfléchissants sont très visibles même si la lumière est mauvaise.

LA RANDONNÉE

Tout le monde, même les débutants, peut apprécier la randonnée. En général, on organise des randonnées à travers landes, dunes, parcs ou forêts, ce qui permet à chacun de profiter de la campagne dans toute sa splendeur.

Choisir une randonnée

Une randonnée peut durer une heure ou plusieurs jours. Certains centres hippiques offrent des formules de vacances en randonnée. Écoles d'équitation et poney-clubs organisent aussi des randonnées. En tant que débutant, mieux vaut participer à une sortie organisée par un centre équestre réputé – recommandé par la Fédération française d'équitation. Si tu as l'habitude de monter en extérieur, tu peux organiser une randonnée, mais choisis l'itinéraire avec soin.

Préparer une randonnée

Normalement, en randonnée, on passe de longues périodes en selle et hors des sentiers battus. Cela peut être fatigant, c'est pourquoi il faut porter des vêtements confortables (reporte-toi à la page 15). Assure-toi également que ton harnachement est confortable et en bon état.

Sur un terrain vallonné, la selle est plus susceptible de glisser : serre bien la sangle. Pour une longue randonnée,

Mets le licol par-dessus le filet, ou en dessous s'il s'agit d'une longue randonnée.

il est préférable que ton cheval porte un licol en plus du filet. Tu pourras ainsi l'attacher pendant les pauses. Laisse la longe en place, mais, pour éviter qu'elle ne te gêne, passe-la autour de l'encolure de ta monture et fais un nœud sans serrer.

La plage présente une surface douce quelles que soient les conditions météorologiques.

En randonnée

Sois prévenant lorsque tu montes en compagnie d'autres cavaliers, surtout s'ils ont moins d'expérience que toi. Reste à distance du cheval qui te précède et, si tu dois t'arrêter, écarte-toi pour laisser passer les suivants. Préviens les autres cavaliers que tu changes d'allure, car leurs montures risquent de faire de même.

Sois vigilant. Si l'un des chevaux fait un écart, les autres risquent de le copier. Si tu remarques quelque chose de dangereux (terriers ou fil de fer barbelé), préviens les autres. Rappelle-toi les règles équestres.

Vous risquez de prendre des sentiers étroits où l'on doit avancer en file indienne. Dans ce cas, les chevaux les plus rapides doivent passer en tête. Les chevaux qui bottent doivent suivre derrière, à l'écart des autres.

Faire une pause

Il est important de faire une pause lors d'une longue randonnée.

Si tu effectues une randonnée de plusieurs heures, toi comme ton cheval, vous aurez besoin d'une pause. Essaie de t'arrêter dans un endroit où le cheval puisse boire. Par temps de chaleur et de soleil, essaie de trouver de l'ombre.

Remonte les étriers et attache ton cheval, en coinçant les rênes sous un étrier pour qu'elles ne le gênent pas. Desserre la sangle pour qu'il soit confortable au repos, mais n'oublie pas de la resserrer avant de partir.

Porte des chaussures à petits talons et un casque conforme aux normes de sécurité (voir page 15). La tenue de ces cavaliers n'est pas idéale.

LE TRAIL

En général, on pratique le trail pour le plaisir, quoiqu'il en existe aussi une forme compétitive. En fait, le trail est une randonnée « western » et, comme pour la randonnée classique, on peut l'apprécier sans avoir beaucoup d'expérience en selle.

Les trails de loisirs

Les trails de loisirs sont organisés dans le but de faire passer aux cavaliers une bonne journée à la campagne. C'est aussi un moyen d'améliorer sa forme physique et de découvrir l'environnement. À moins d'être suffisamment expérimenté pour organiser ton propre itinéraire, inscris-toi à un trail guidé.

Où s'adresser ?

Il existe de nombreux établissements qui offrent des trails : tu ne manqueras pas de choix entre les destinations et les compagnies. Essaie de trouver un centre recommandé ou approuvé par la Fédération française d'équitation, qui propose des trails dans des paysages intéressants.

Les chevaux employés pour le trail sont calmes et obéissants comme ceux-ci. Ils doivent s'accommoder de terrains difficiles et de bien d'autres obstacles au cours d'un trail.

La tenue

Une tenue d'équitation normale (voir page 48) convient, toutefois, équipe-toi pour faire face à d'éventuels changements de temps.

Par temps froid ou pluvieux, il te faudra peut-être un pull-over supplémentaire ou un blouson imperméable. Si tu ne veux pas le mettre tout de suite, tu peux le rouler et l'attacher à ta selle par les lacets. Des gants protègent les mains du froid et permettent également de tenir des rênes mouillées et glissantes plus facilement.

Les jours de chaleur, pourquoi ne pas sortir très tôt le matin ou le soir, lorsqu'il fait plus frais. Si le soleil tape fort, mets de la crème solaire. Un chapeau western protégera ta tête du soleil, mais il doit aussi te protéger en cas de chute (voir page 48).

Les compétitions

Les épreuves compétitives de trekking ou de raid d'endurance présentent un itinéraire plus long que les randonnées de loisirs. Le but est de revenir au point de départ dans un certain délai et avec un cheval en bonne condition physique.

Les chevaux doivent être en très bonne forme physique et sont entraînés spécialement.

Les concurrents de la Coupe Tevis, aux États-Unis, parcourent 160 km en une journée.

LONGS PARCOURS

La plupart des randonnées et trails ne durent que quelques heures, mais un parcours plus long d'une journée fera une belle sortie et améliorera ta résistance physique. Un long parcours est fatigant, mais une bonne organisation préalable te facilitera la tâche.

Avant

Assure-toi que tu connais bien ton parcours, et si tu montes seul, informe un ami de ton itinéraire et de l'heure prévue de ton retour. Pour commencer, ne cherche pas à aller trop loin : va plus loin à chaque sortie.

Vérifie que tu as tout ce dont tu as besoin. Une carte et un cure-pieds (voir page 76) sont essentiels ; emporte aussi de quoi payer pour un appel téléphonique, ou un téléphone portable. Un K-way ou un pull-over supplémentaire, et de quoi manger, peuvent être utiles.

Pendant

Il est important d'établir la bonne allure. Changer d'allure selon le terrain fatiguera moins ta monture et la gardera alerte.

Si tu fais du trot enlevé, change périodiquement de diagonale. Sur un terrain plat, un petit galop décontracté est ce qu'il y a de plus facile pour ton cheval. Le pas s'impose en terrain accidenté ou pentu.

Fais une pause de temps en temps, mais pas trop longue. Repars avant de t'engourdir ou de prendre froid.

Après

Essaie de finir la randonnée au pas, ce qui permettra au cheval de se rafraîchir. Pendant le dernier kilomètre, descends et remonte les étriers. Desserre la sangle pour permettre à la circulation de se rétablir dans le dos du cheval et conduis-le à la main jusqu'à la fin.

Au retour, il faut le panser et prendre soin de lui (voir page 84) pour qu'il récupère bien.

Ces cavaliers marquent une pause pour que leurs montures boivent. Toutefois, les chevaux ne doivent pas manger, car ils n'auraient pas le temps de digérer.

LE SAUT

LA PRÉPARATION

Bien que le saut soit passionnant, c'est aussi un sport dangereux qui nécessite une bonne préparation. Avant d'être en mesure d'apprendre à sauter, il te faut posséder une assiette stable et une bonne maîtrise de ton cheval. Il faut également disposer de vêtements adaptés et de l'équipement adéquat.

Selle d'obstacles

Cette selle est coupée plus vers l'avant, ce qui aide le cavalier à garder la position en avant.

Selle mixte

Cette selle est moins coupée vers l'avant, mais elle convient aux petits sauts et au travail d'apprentissage ou de loisirs.

Vêtements et équipement

En général, le saut implique une certaine vitesse ; en cas de chute, le choc risque donc d'être violent. Pour te protéger, mets un gilet de protection ainsi que ta bombe.

Pour sauter, il faut se pencher en avant (voir pages 98-99). Une selle d'obstacles est spécialement coupée et façonnée à cette fin.

Si tu as l'intention de faire beaucoup d'obstacles, tu peux te procurer une selle spéciale, mais une selle mixte fera l'affaire pour commencer.

Au début, tu peux utiliser un surcou ou collier (voir page 15) pour t'aider à t'équilibrer. Le fait de le tenir peut également stabiliser tes mains et empêcher que tu tires sur les rênes.

Ces cavaliers sont correctement habillés pour sauter avec gilet de protection et bombe.

Gilet de protection

Cette cavalière utilise une selle d'obstacles plutôt qu'une selle mixte.

Les gilets et les bombes doivent être conformes aux normes de sécurité en vigueur.

Améliore tes compétences

Pour faire de l'obstacle, travaille équilibre, sens du rythme et impulsion, en suivant ces conseils. Ne tente le saut que lorsque tu t'en sens capable. Si tu manques de confiance, ton cheval le sentira et sera nerveux.

Équilibre, rythme et impulsion

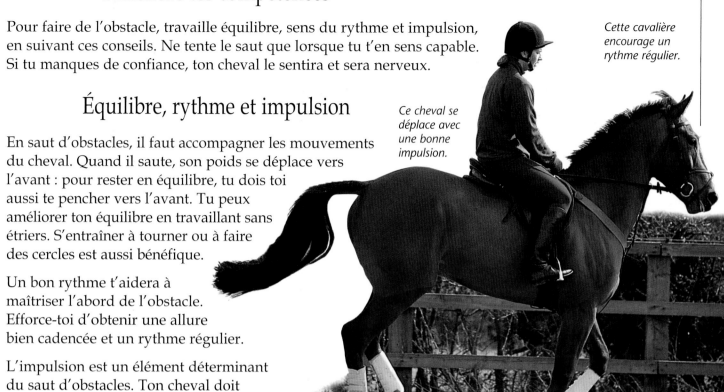

Cette cavalière encourage un rythme régulier.

Ce cheval se déplace avec une bonne impulsion.

En saut d'obstacles, il faut accompagner les mouvements du cheval. Quand il saute, son poids se déplace vers l'avant : pour rester en équilibre, tu dois toi aussi te pencher vers l'avant. Tu peux améliorer ton équilibre en travaillant sans étriers. S'entraîner à tourner ou à faire des cercles est aussi bénéfique.

Un bon rythme t'aidera à maîtriser l'abord de l'obstacle. Efforce-toi d'obtenir une allure bien cadencée et un rythme régulier.

L'impulsion est un élément déterminant du saut d'obstacles. Ton cheval doit avoir de l'énergie, mais maîtrisée. Tu peux travailler l'impulsion en t'entraînant à effectuer des changements d'allure.

L'échauffement avant le saut

Le saut d'obstacles demande beaucoup d'efforts, donc le cavalier et sa monture doivent s'échauffer correctement au préalable, comme décrit ci-après.

L'échauffement réduit les risques de foulure (pour le cavalier comme pour le cheval) lors d'un saut. Il doit durer environ 20 minutes.

Commence au pas en maintenant les rênes longues pour que ta monture puisse s'étirer. Puis raccourcis-les pour faire la transition au trot.

Le trot doit être régulier. Une fois que le rythme, ton équilibre et l'impulsion te paraissent corrects, fais tourner ta monture et réalise quelques cercles.

Ensuite, mets-toi au petit galop, à chaque main, en veillant à ce que ton cheval mène du bon pied. Finis au pas décontracté. Vous êtes prêts pour le saut.

LA POSITION CORRECTE

Lorsque l'on saute, il est important d'aider son cheval en accompagnant ses mouvements et en soulageant son dos. Tu peux y parvenir en changeant de position quand il saute. Plutôt que de prendre ta position habituelle, penche-toi vers l'avant (voir page suivante).

En équilibre dans les étriers, la cavalière accompagne le mouvement de sa monture et adopte la position en avant.

Le cheval doit voir l'obstacle assez tôt pour évaluer le saut qu'il doit effectuer.

Le cheval arrondit le dos et bascule.

Le cheval aborde l'obstacle avec un bon rythme, une bonne impulsion, et bien équilibré.

Le cheval redresse la tête et lève les antérieurs, alors que les postérieurs fournissent l'impulsion pour le saut.

Le saut

Il importe de savoir à quel moment exact se pencher vers l'avant. Le saut est constitué de cinq phases distinctes : ces images montrent clairement l'évolution de la position du cavalier à chaque étape du saut.

1. L'abord

À l'abord de l'obstacle, enfonce-toi bien dans la selle afin de pouvoir utiliser bassin et jambes pour donner de l'impulsion au cheval. Aborde l'obstacle au milieu et en ligne droite, et laisse ta monture allonger l'encolure pour le regarder.

2. L'appel

À l'approche de l'obstacle, penche-toi un peu en avant et tiens le collier si tu en utilises un. Penche-toi de plus en plus à mesure que le cheval prend de l'élan : au moment du saut, tu seras dans la position en avant.

La position en avant

Pour adopter cette position, plie le haut du corps au niveau des hanches. Cela a pour effet de transférer ton poids depuis ton bassin vers tes genoux et tes chevilles. Les mollets gardent le contact avec les flancs de la monture, afin que tu puisses exécuter les aides.

Garde le dos bien droit et la tête levée.

Il est plus facile de s'équilibrer ainsi avec les étriers chaussés courts (voir page 19). Raccourcis les étrivières de deux crans, ou adopte le réglage que tu trouves confortable.

Commence par te pencher en avant à l'arrêt. Puis entraîne-toi sur du plat au pas et au trot. Au début, un collier te facilitera la tâche.

Les bras avancent.

Les jambes sont bien fléchies.

Les talons sont pointés vers le bas.

Pour réussir le saut, le cheval doit allonger l'encolure.

Les antérieurs frappent le sol l'un après l'autre, suivis des postérieurs.

Le cheval ramène les postérieurs sous lui afin d'être prêt à continuer son parcours.

3. Le planer

Conserve la position en avant lorsque ton cheval franchit l'obstacle, tout en avançant les mains pour céder une longueur de rêne. Regarde droit devant et essaie de préparer la réception.

4. La réception

Au moment de la réception, redresse-toi légèrement. Pèse de tout ton poids sur les étriers et amortis le choc au niveau des genoux et des chevilles. Si tu retombes en selle, tu déséquilibreras ta monture.

5. Le rétablissement

Dès que tu es de nouveau à plat, redresse-toi et reprends ta position habituelle en selle. Raccourcis alors les rênes et emploie le bassin et les jambes pour faire avancer ta monture.

LES BARRES AU SOL

Les barres au sol constituent un très bon exercice d'introduction au saut. Cela règle les foulées du cheval et permet d'améliorer l'équilibre et le rythme du cavalier. C'est également un très bon moyen d'apprendre à aborder un obstacle dans un manège.

Barres uniques

Commence avec des barres uniques disposées autour du manège. Franchis-les en permettant à ta monture d'allonger l'encolure, afin de bien les regarder. Change périodiquement de direction.

Des barres peintes sont plus facilement visibles pour ta monture.

Des barres solides et rondes roulent si le cheval les heurte.

Lorsque ton cheval est habitué aux barres, franchis-les au trot enlevé. Maintiens une allure régulière et concentre-toi sur le rythme et l'impulsion. Ne baisse pas les yeux : tu risquerais de perdre l'équilibre. Répète l'opération dans la position en avant.

Problèmes avec les barres au sol

• Au début, tu auras peut-être du mal à garder les mains stables. Si c'est le cas, essaie de te tenir au collier.
• Si tu as du mal à franchir les barres au trot, reprends le pas.
• Si ton cheval s'agite ou se précipite, fais-lui faire des voltes devant les barres afin de le calmer.

L'abord des barres

Aborde toujours les barres par le milieu, en ligne droite. Essaie de te détendre en selle et ne te précipite pas. Maintiens le rythme dans les tournants et utilise toute la place disponible.

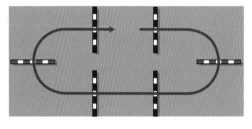

Circuit simple, tournants réguliers.

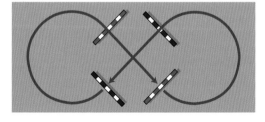

Un huit de chiffre. Changement de main au milieu.

Les séries de barres

Lorsque tu es capable de franchir les barres uniques au trot, essaie une série de trois. N'utilise jamais que deux barres, car ta monture pourrait croire qu'elle doit les franchir en sautant. Lorsque le cheval est capable de franchir trois barres au trot, rajoutes-en, une à la fois, jusqu'à six.

L'espacement des barres dépend de la longueur de la foulée du cheval (voir le tableau en bas, indications approximatives).

Compter à voix haute peut aider à maintenir le rythme.

Les barres relevées

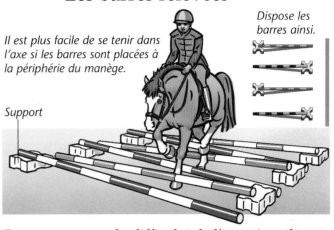

Il est plus facile de se tenir dans l'axe si les barres sont placées à la périphérie du manège.

Dispose les barres ainsi.

Support

Pour augmenter la difficulté de l'exercice, élève un peu les barres et pose une extrémité de chaque barre, en alternance, sur un support bas. Cela oblige ton cheval à lever les jambes. Lorsque tu franchis aisément les barres surélevées en position normale, répète l'exercice en adoptant la position en avant. Toutefois, ne prolonge pas trop l'exercice et arrête-toi avant que ta monture se lasse.

Espacement des barres au trot

Taille du cheval ou du poney	Distance
Jusqu'à 1,22 m	1,05 m
1,22 m à 1,42 m	1,20 m
1,42 m à 1,62 m	1,35 m
Au-delà de 1,62 m	1,50 m

Le cheval passe au milieu, entre les barres, comme ceci.

PREMIERS SAUTS

Après les barres, l'étape suivante consiste à tenter de franchir un premier obstacle. Commence par des obstacles bas : petit à petit, tu renforceras tes compétences et tu prendras de l'assurance. Il est important de ne pas fatiguer ton cheval en voulant trop en faire trop vite.

Les croisillons

Un croisillon bas, comme sur la photographie, est recommandé pour un premier saut, car la croix te permet de mieux viser le milieu de l'obstacle. Place-le près du bord du manège : ainsi, tu pourras te repérer pour effectuer une approche en ligne droite.

Échauffe-toi toujours avant de tenter un saut. Lorsque tu es prêt, aborde l'obstacle au trot. Cela facilite le contrôle de ta monture et lui évite de s'énerver.

Les barres de réglage

Une barre de réglage est une barre que l'on place à quelque distance devant l'obstacle. Elle permet au cheval de prendre son appel au bon endroit.

Barre de réglage

Couloir d'approche

La barre doit se placer à une foulée de l'obstacle. Bien entendu, la longueur d'une foulée dépend du cheval, toutefois le tableau ci-dessous indique les distances approximatives pour une approche au trot.

Les croisillons sont moins impressionnants pour le cheval.

Distances de la barre de réglage

Taille du cheval ou du poney	Distance de l'obstacle
1,32 m à 1,42 m	2, 15 m
1,42 m à 1,52 m	2, 45 m
au-delà de 1,52 m	2, 75 m

Les obstacles droits (ou verticaux)

Les obstacles droits sont composés d'éléments superposés. Même s'ils paraissent petits, ils peuvent poser des problèmes d'évaluation à ta monture, c'est pourquoi il faut les aborder de manière efficace bien en face.

Un cheval évalue la hauteur d'un obstacle en partant du sol.

Tu peux lui faciliter la tâche en posant une barre sur le sol juste avant l'obstacle. Cela dessine une ligne nette au sol.

N'entreprends jamais un saut alors que la barre au sol est située derrière l'obstacle. Cela crée une fausse ligne au sol qui peut troubler ton cheval, le pousser à prendre son appel trop tard et à heurter la barrière, voire même à tomber.

Les obstacles larges

Les obstacles larges sont composés d'une ou plusieurs barres plus hautes placées derrière les premières. Ils peuvent paraître grands, mais le fait que la première barre soit basse les rend plus faciles à négocier. Le cheval voit la largeur qu'il doit franchir, ce qui l'aide à prendre son appel.

N'aborde jamais un obstacle large par-derrière. Si tu essaies de l'aborder dans le mauvais sens, ta monture ne verra pas la barre arrière et ne pourra pas évaluer la largeur de l'obstacle. Quand les barres avant et arrière sont à la même hauteur, l'obstacle est beaucoup plus difficile à franchir.

La différence de hauteur entre les barres aide le cheval à « basculer », c'est-à-dire arrondir le dos, lors du saut.

Des barres colorées attirent l'attention du cheval sur l'obstacle.

QUAND TOUT VA MAL

Ce cheval, n'étant pas préparé à franchir l'obstacle, s'arrête net.

La clef de la réussite, au saut d'obstacles, c'est l'approche. La plupart des erreurs sont commises à ce stade et affectent ta position ou l'appel, donc le cheval ne peut pas bien sauter. En faire trop, trop tôt, ou si le cheval prend peur, créent d'autres problèmes.

À quel moment adopter la position en avant

Le fait de se pencher en avant aide la monture à sauter, mais uniquement si le moment est bien choisi et si la position est correcte. Si tu te mets en avant trop tôt ou trop tard, tu risques d'avoir des problèmes.

Trop tôt

Trop tard

Le poids de cette cavalière s'est porté vers l'avant. Cela déséquilibre son cheval, qui a du mal à s'élancer.

Cette cavalière est « à la traîne ». À moins de rallonger un peu les rênes, elle fera mal à la bouche de sa monture.

Le bon endroit pour l'appel

En tant que débutant, tu dois laisser ton cheval juger de l'endroit où il prend son appel, toutefois il risque de se tromper si tu as mal abordé l'obstacle. S'il s'élance trop tôt ou trop tard, il heurtera la barrière. Mais une approche longue et bien de front, une ligne au sol visible et une barre de réglage lui permettent d'évaluer le saut correctement.

Appel trop tardif

Appel trop précoce

Les accrochages

Bascule   *Dos creux*

Si le cheval heurte régulièrement l'obstacle, travaille l'abord en franchissant une série de barres au trot : peut-être cela l'aidera-t-il. Mais il est possible qu'il saute avec le dos creux (voir ci-dessus). Dans ce cas, incite-le à basculer en passant des obstacles larges.

Refus

Le refus est l'arrêt net du cheval devant un obstacle, parce qu'il a été mal préparé à le franchir ou parce qu'il le trouve effrayant. Il faut toujours trouver la cause du refus – il ne suffit pas de punir ta monture, car elle n'en sera que plus rétive.

Essaie à nouveau de franchir l'obstacle en t'enfonçant bien dans la selle et en utilisant tes jambes pour donner de l'impulsion. Ne te penche pas en avant trop tôt. Pour aider ton cheval, suis-en un autre.

Le premier cheval mène, cela donne de l'assurance au deuxième.

Dérobade

Un cheval se dérobe lorsqu'il s'écarte au dernier moment afin de contourner l'obstacle. Si c'est le cas du tien, arrête-le, fais-le repasser devant l'obstacle au pas et retente le saut. Ne lui permets pas d'y échapper.

Donne des aides vigoureuses avec les jambes et tiens une cravache du côté où il se dérobe. Rends-lui la tâche plus difficile avec un obstacle plus large, ou place-le près d'un mur.

Précipitation

Si un cheval se précipite sur l'obstacle, il désire peut-être le franchir, ou il a peur et veut en finir le plus vite possible. Ne tire pas sur les rênes pour le retenir : fais-le tourner en cercles devant l'obstacle, le temps qu'il se calme.

Lorsque ta monture cesse de se précipiter, aborde l'obstacle au pas. Effectue une approche courte et passe au trot quelques foulées avant l'appel seulement.

D'autres problèmes

Si tu n'a pas de reproches à te faire et que tu continues à éprouver des difficultés, c'est qu'il y a autre chose. Consulte ton instructeur.

Commence par vérifier que ton cheval n'a pas mal. Vérifie le harnachement et fais ausculter ses membres et pieds par un maréchal-ferrant (pp. 76 et 77). Évite de sauter sur un sol dur.

Si ton cheval a eu une mauvaise expérience ou si l'obstacle est trop grand, il risque d'avoir peur. Pour lui redonner confiance, fais-lui passer de petits obstacles, puis tente de franchir celui qui pose problème derrière un autre cheval.

Si tu as tout essayé sans succès, peut-être que le cheval est simplement capricieux. Ne le laisse pas faire, mais récompense-le s'il obéit.

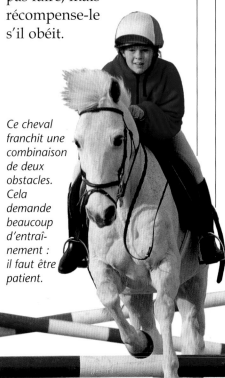

Ce cheval franchit une combinaison de deux obstacles. Cela demande beaucoup d'entraî-nement : il faut être patient.

LES COMBINAISONS

Lorsque tu seras capable de franchir un obstacle simple, tu auras peut-être envie de t'initier à la combinaison. C'est une série de deux obstacles ou plus que l'on franchit l'un après l'autre. Cela permet d'améliorer rythme et équilibre, et d'apprendre à mieux évaluer les foulées de la monture.

Les combinaisons doubles et triples

Une combinaison composée de deux obstacles s'appelle une combinaison double ; une combinaison triple comprend trois obstacles. La plupart des parcours offrent au moins une combinaison double ou triple, il est donc conseillé de s'y entraîner. Utilise d'abord uniquement des obstacles bas. Commence par une combinaison double simple, comme sur la photo.

La page suivante explique comment installer différentes combinaisons. C'est assez difficile et il vaut donc mieux demander à une personne expérimentée de t'aider. Il te faudra connaître la longueur de la foulée de ton cheval (voir page suivante) pour pouvoir espacer les obstacles correctement, afin de lui permettre de prendre son appel au bon endroit.

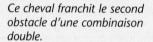

Ce cheval franchit le second obstacle d'une combinaison double.

Franchir une combinaison double simple

Ici, la cavalière et sa monture franchissent une combinaison double constituée d'un croisillon et d'un obstacle large. La combinaison a été installée de manière que le cheval fasse deux foulées entre les obstacles. La précision est très importante. Pour réussir à franchir le deuxième obstacle, il faut qu'il se réceptionne au bon endroit une fois le premier obstacle franchi.

Cette cavalière et sa monture franchissent une combinaison double simple.

Le premier obstacle est plus petit.

À la réception, la cavalière et sa monture se préparent au second obstacle.

L'installation de différentes combinaisons

Commence par installer deux croisillons de façon à permettre au cheval de faire deux foulées entre les deux.

Rapproche ces deux croisillons pour ne permettre qu'une seule foulée. Ajoutes-en un troisième à deux foulées du deuxième.

À la fin, change le type d'obstacle. Le dernier peut être un obstacle droit ou large et le deuxième un obstacle droit.

Mesurer les distances par la longueur des foulées

Si tu veux construire une combinaison, tu dois connaître la longueur de la foulée de ta monture. À partir de là, il est possible de calculer la distance nécessaire entre les obstacles d'une combinaison.

Si tu connais la longueur de ta propre foulée, tu peux mesurer les distances dans une combinaison rien qu'en arpentant le terrain.

Tableau comparant la longueur moyenne des foulées d'une personne et d'un cheval de 1,42 m.

Foulées humaines	Foulées d'un cheval	Mesure réelle
1	-	1 m
6-7	1	5,4-6,4 m
10-11	2	9-9,9 m

La foulée moyenne d'un cheval dépend de sa taille : plus il est grand, plus sa foulée sera longue. Toutefois, la longueur exacte varie.

Sa foulée est plus longue lorsqu'il avance rapidement et plus courte s'il est lent (sur une pente ou sur sol meuble). Lorsqu'il saute, la longueur de sa foulée est également influencée par le type d'obstacle qu'il franchit.

Le cheval prend son appel après sa deuxième foulée.

Le deuxième obstacle est plus large.

ABORDER UN PARCOURS

Un parcours d'obstacles est un véritable test de tes capacités. Une bonne technique ainsi qu'une évaluation soigneuse du parcours sont nécessaires pour le réussir avec succès. Quand tu auras appris à effectuer un parcours, tu pourras participer à des concours de saut (voir pages 132 et 133).

Si on a fait le parcours à pied, il est plus facile de le faire à cheval ensuite.

Reconnaître le parcours à pied

Il peut être difficile d'aborder chaque obstacle avec succès lorsqu'on fait tout un parcours. Il est donc utile de reconnaître le parcours à pied et d'examiner les obstacles au préalable, même si tu les a construits toi-même.

Réfléchis bien au tracé que tu souhaites demander à ta monture et fais-le à pied. Pour t'aider à le planifier, tu peux mesurer les distances entre les obstacles en comptant tes propres foulées.

Prévoir le tracé du parcours

Détermine soigneusement ton parcours, afin d'aborder chaque obstacle en ligne droite et de faire des tournants réguliers.

L'illustration montre un parcours simple et la façon de l'aborder.

Une approche longue et rectiligne te permettra, ainsi qu'à ton cheval, d'évaluer chaque obstacle et de préparer le saut.

Imagine une ligne qui traverse chaque obstacle par le milieu. Aborde ce dernier dans l'axe de cette ligne centrale.

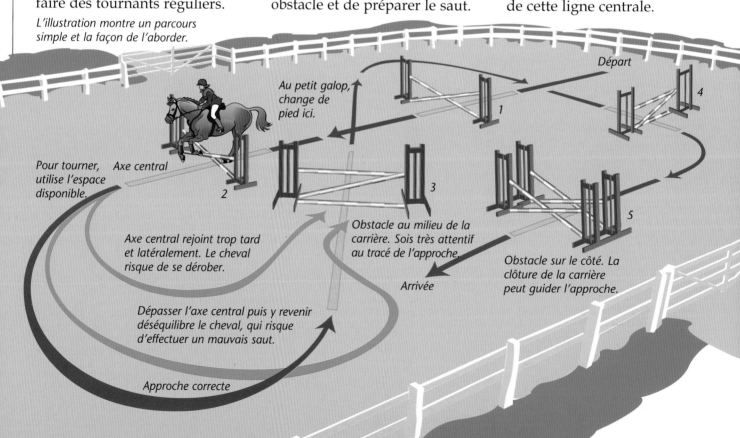

Au petit galop, change de pied ici.

Départ

Pour tourner, utilise l'espace disponible.

Axe central

Axe central rejoint trop tard et latéralement. Le cheval risque de se dérober.

Obstacle au milieu de la carrière. Sois très attentif au tracé de l'approche.

Arrivée

Obstacle sur le côté. La clôture de la carrière peut guider l'approche.

Dépasser l'axe central puis y revenir déséquilibre le cheval, qui risque d'effectuer un mauvais saut.

Approche correcte

Le parcours à cheval

Essaie de suivre la trajectoire que tu as prévue. Ne sois pas tenté de prendre les virages à la corde et de gâcher ton approche. En sautant, redresse la tête pour regarder droit devant et anticiper la suite. Ta monture ne connaît pas le parcours : tu dois la guider.

Cette cavalière lève la tête pour franchir l'obstacle.

L'approche d'un obstacle au petit galop

L'approche au petit galop raccourcit la durée du parcours et permet à ta monture de franchir les grands obstacles plus aisément. Évite toutefois de te précipiter. Si ton cheval va trop vite, il sera déséquilibré et manquera le saut.

Au petit galop, ton cheval doit prendre son élan sur le pied intérieur. Mais il changera peut-être de pied meneur en passant l'obstacle : vérifie avant d'aborder l'obstacle suivant.

Pour changer de pied meneur, repasse au trot et donne les aides correspondant au petit galop sur un nouveau pied (voir pp. 34 à 37).

Quand tout va mal

Lorsque tu entreprends un parcours, le but est de franchir tous les obstacles, alors ne te décourage pas en cours de route si tu as des problèmes.

Si ton cheval refuse ou se dérobe, aborde à nouveau l'obstacle ; il faut lui apprendre qu'il ne peut pas y échapper. En compétition, on est obligé de terminer le parcours, mais on a droit à deux refus. Si tu renverses un obstacle, tu seras pénalisé, mais tu peux terminer le parcours.

Cette cavalière regarde l'obstacle suivant. Sa monture tourne en direction de l'obstacle, menant au petit galop sur le bon pied.

AUTRES SAUTS

Si tu fais une randonnée à la campagne, pourquoi ne pas franchir des obstacles naturels ? C'est amusant et cela te prépare bien au cross-country, dont les obstacles sont construits dans la nature.

Ce cheval franchit avec aisance ce tronc d'arbre.

En dehors du manège

Le saut en dehors du manège est excitant, mais attention à ne pas trop en faire. Vérifie toujours que l'obstacle ne présente aucun danger et aborde-le avec précaution, surtout si tu le franchis pour la première fois.

Haies

Il est amusant de franchir de petites haies, toutefois, assure-toi toujours que les zones d'appel et de réception ne présentent aucun danger. Veille aussi à ce qu'il n'y ait pas de clôture dans la haie. Cette dernière pourrait blesser ton cheval.

Un cheval peut frôler la haie sans se faire mal à condition qu'elle ne cache pas une clôture.

Troncs d'arbres

Les troncs d'arbres constituent des obstacles intéressants à condition qu'ils ne comportent aucune branche qui pourrait gêner le saut. Si tu en trouves un, vérifie que le sol n'est pas dangereux de chaque côté avant de le franchir à cheval.

Fossés

Les fossés sont intéressants, si le sol n'est pas trop boueux. Si le sol est détrempé, le cheval risque de glisser. Si le fossé est rempli d'eau, sois particulièrement vigilant en le franchissant. Ta monture pourrait être effrayée par l'eau : il faut qu'elle prenne conscience de sa présence au préalable.

LE DRESSAGE

À PROPOS DU DRESSAGE

Lorsque les chevaux se déplacent en liberté, leurs mouvements sont légers et gracieux. Toutefois, quand ils portent un cavalier, ce rythme et cet équilibre sont bouleversés. Le but du dressage est de faire retrouver au cheval ses mouvements naturels et de parvenir à une harmonie avec le cavalier.

Les chevaux ont une grâce innée.

Au cours d'une épreuve de dressage, les juges recherchent l'harmonie entre le cheval et le cavalier.

Apprendre le dressage

Le dressage est simplement une forme évoluée de l'équitation classique, c'est pourquoi les chevaux et les cavaliers qui ont reçu une formation classique en connaîtront certains des principes.

L'acquisition des compétences en dressage demande un entraînement spécialisé et une approche disciplinée. La monture apprend à répondre au moindre geste du cavalier et ce dernier apprend à donner les aides avec une grande précision. Cependant, tout ce travail commence simplement par l'amélioration de mouvements que tu connais déjà, comme les transitions d'une allure à une autre, les tournants et les cercles.

Différents niveaux

Il existe quatre différentes classes de dressage : novice, intermédiaire, moyenne et avancée (D, C, B et A). Pour chacune, il faut apprendre à présenter de nouveaux mouvements dont la difficulté augmente au fur et à mesure. Tu peux t'inscrire dans une de ces catégories pour participer aux compétitions. Ces dernières s'appellent des reprises. Les reprises sont décrites aux pages 134 et 135.

L'équipement

Pour le dressage élémentaire, il suffit d'une selle mixte et d'un bridon. Si tu espères participer souvent à des compétitions, tu peux commencer à utiliser une selle de dressage. Cette dernière comporte des quartiers plus droits que la selle mixte, offrant aux jambes du cavalier un contact plus important avec les flancs de la monture. Une cravache de dressage est aussi utile. Elle est plus longue que la cravache ordinaire, tu n'as donc pas besoin d'enlever les mains des rênes pour l'utiliser.

Bridon (Voir page 14.)

Selle de dressage

Cravache de dressage

Cette illustration montre la coupe droite d'une selle de dressage.

L'assiette de dressage

La cavalière se tient bien droite.

Les étriers sont chaussés long : les jambes sont allongées.

L'assiette de dressage est semblable à celle de l'équitation classique. On se tient bien au centre de la selle et on garde le dos bien droit. Les coudes et les bras sont dans l'alignement des rênes et de la bouche du cheval. La différence principale est la longueur des étrivières, qu'on rallonge d'environ deux crans. De ce fait, les jambes sont plus droites et ont un meilleur contact avec les flancs de la monture.

Le dressage de haut niveau

En dressage de haut niveau, le cavalier utilise une bride double et porte des éperons. La bride comporte deux paires de rênes et deux mors, d'où un meilleur contrôle. Les éperons servent à donner des aides très précises.

On peut porter des éperons à tout niveau, mais il faut demander la permission au poney-club lors de reprises. Au niveau préliminaire ou novice, on n'a pas le droit d'utiliser une bride double, mais elle est obligatoire pour les cavaliers de niveau avancé.

Cette cavalière exécute une reprise de dressage avancé.

Le cheval a une bride double et la cavalière porte des éperons.

UNE BONNE ACTION

Lorsqu'on parle de l'action d'un cheval, on fait référence à sa façon de travailler et à sa réponse aux aides. S'il est équilibré, s'il se déplace librement et en harmonie avec son cavalier, on dit qu'il a une bonne action. L'un des buts du dressage est d'atteindre la meilleure action possible.

Ce cheval et sa cavalière sont en harmonie et travaillent bien ensemble.

Accepter le mors

Lorsqu'un cheval répond bien aux messages qu'il reçoit de tes mains et qu'il tient le mors dans la bouche sans résistance, il « est en main » ou il est « sur le mors ». Son encolure doit être bien arquée, créant une ligne arrondie, et sa tête doit être verticale, sans avoir l'air tendue ni raide.

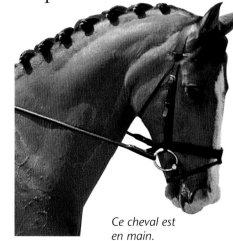

Ce cheval est en main.

Engager les jarrets

Ici, on constate la puissance des jarrets du cheval.

Presque toute la puissance du cheval se trouve dans son arrière-main. Pour pouvoir utiliser cette puissance efficacement, il doit rentrer les postérieurs sous son corps, ce qui leur permet de bien travailler, et ne pas les laisser traîner derrière lui. Correctement exécuté, c'est ce qu'on appelle l'engagement des postérieurs.

Une silhouette arrondie

Lorsqu'un cheval accepte le mors et engage les postérieurs, son corps a l'air compact et arrondi. On dit que sa ligne du dessus est arrondie.

Afin d'obtenir une ligne du dessus arrondie, comme ici, il faut beaucoup travailler l'équilibre, le rythme et l'impulsion avec ton cheval.

L'impulsion

L'impulsion désigne l'énergie dégagée par les foulées du cheval. Mais il ne s'agit pas uniquement de vitesse ou d'entrain. Il s'agit d'une puissance maîtrisée que le cheval peut canaliser pour effectuer certains mouvements lorsqu'on le lui demande. Un cheval peut se déplacer très lentement, mais avec beaucoup d'impulsion.

Pour augmenter l'impulsion, il faut utiliser tes jambes pour demander plus d'énergie tout en te servant du bassin et des mains pour la contrôler.

L'impulsion, l'équilibre et le rythme de ce cheval sont bons.

L'équilibre

Lorsqu'un cheval a un mauvais équilibre, il porte son poids sur ses antérieurs ou sur son avant-main. À mesure que son équilibre s'améliore, il rassemble ses postérieurs sous lui et engage les jarrets. Une bonne façon de lui faire travailler cela est de lui faire monter des pentes.

Ses postérieurs ont une action puissante.

Le rythme

Idéalement, un cheval est capable de conserver un rythme régulier à chaque allure. Si toutefois il est en déséquilibre, il risque de se précipiter et de perdre le rythme de ses foulées. Tu éviteras cela en agissant progressivement.

Son encolure est arquée et sa tête est presque verticale.

En arrière de la main

Si tu tires trop sur les rênes, ton cheval risque de résister en se mettant derrière le mors : il rentre la tête, la rapprochant de son poitrail, pour échapper à la pression du mors. (Voir l'illustration ci-contre.)

Lorsque la tête d'un cheval est rentrée de cette manière, la meilleure façon de procéder consiste à relâcher légèrement les rênes dès que ta monture obéit à tes aides manuelles.

Ce cheval a rentré la tête vers le poitrail. En conséquence, son encolure et sa mâchoires sont tendues.

Une silhouette creusée

Lorsqu'un cheval résiste à son cavalier, il a tendance à pointer le nez en avant et à s'affaisser au niveau du dos plutôt que de l'arrondir. Cela montre qu'il manque d'équilibre. Travaille ton assiette et tes aides.

LIGNES ET CERCLES

Un cheval bien équilibré maîtrise ses mouvements avec précision et exécute des tâches difficiles, comme avancer en ligne droite ou décrire un cercle. Mais il lui faut de l'entraînement et l'apprentissage doit se faire progressivement. Le cavalier aussi doit avoir un bon équilibre.

Ce cheval et sa cavalière sont bien équilibrés.

Améliorer tournants et cercles

Travailler les cercles est un moyen important d'améliorer souplesse et équilibre d'un cheval. Avec de l'entraînement, les muscles situés le long de sa colonne vertébrale deviennent plus souples, ce qui lui permet d'effectuer des tournants avec précision, sans faire d'erreur (voir ci-dessous). Une fois que son équilibre, son impulsion et son rythme se seront améliorés, tu trouveras les cercles plus faciles.

Erreurs d'incurvation

Lorsque la colonne vertébrale d'un cheval épouse mal la courbure d'un cercle, c'est qu'une partie de son corps se déporte à gauche ou à droite. Voici certains problèmes courants et leurs causes.

Ici, le cavalier tire trop fortement sur la rêne intérieure : l'épaule gauche et l'encolure du cheval se déportent vers l'extérieur.

Ici, le cavalier n'utilise pas suffisamment la jambe extérieure derrière la sangle : l'arrière-main dérape vers l'extérieur.

Ce cavalier n'applique pas une pression assez forte avec la jambe intérieure, et il tire trop sur la rêne intérieure : l'épaule droite se déporte vers l'intérieur.

Progresser en ligne droite

Avancer en ligne droite n'est pas si facile ! Les chevaux ne se déplacent pas naturellement en ligne droite et ils ont encore plus de mal à le faire lorsqu'ils portent un cavalier. C'est pourtant l'une des figures exigées à tous les niveaux de reprise de dressage.

Si tu as du mal à te tenir droit, assure-toi que ton poids est équitablement réparti sur la selle. Peut-être es-tu assis de travers, ce qui déséquilibre ta monture. Il y a une autre explication possible : une de tes rênes est plus longue que l'autre.

Ce cheval n'est pas d'aplomb, car sa cavalière est assise de travers.

Ce cheval et sa cavalière sont bien droits.

Le cheval se juge

Lorsqu'un cheval trotte, il « se juge » : ses postérieurs se posent dans les empreintes des antérieurs. Au pas et à des allures allongées, le cheval se méjuge : il pose ses postérieurs devant les empreintes des antérieurs, mais ils doivent toujours être dans le même alignement. Observe ses empreintes pour voir s'il se déplace en ligne droite.

Postérieur gauche, Postérieur droit, antérieur Postérieur droit, antérieur droit gauche antérieur droit

Le cheval au trot se juge.

Postérieur Antérieur Postérieur Antérieur gauche gauche gauche gauche

Le cheval au trot allongé se méjuge.

Sabots postérieurs décalés par rapport aux antérieurs

Les empreintes montrent que le cheval est de travers.

Le reculer

Lors du reculer, le cheval doit se déplacer en ligne droite en reculant. C'est plus facile de demander un reculer en se plaçant près d'un guide, tel que la barrière de la carrière. Place les deux jambes derrière la sangle et serre un peu. Si ta monture avance, retiens son mouvement en douceur avec tes mains, relâche, puis recommence. N'essaie jamais de le tirer en arrière, car il risque de se crisper.

Ce cheval exécute correctement le reculer, malgré une certaine résistance.

Ce cheval passe du trot au petit galop.

LES TRANSITIONS

Le travail sur les transitions entre les allures (par exemple, du pas au trot) est un aspect important du dressage. Un cheval doit pouvoir passer d'une allure à une autre avec souplesse sans perdre ni son équilibre, ni son impulsion.

Pourquoi s'entraîner aux transitions ?

Lorsque tu demandes au cheval de changer d'allure, il doit effectuer deux tâches : il doit comprendre et obéir aux instructions, et il lui faut employer les muscles corrects pour réussir la transition en douceur. En conséquence, plus tu travailleras les transitions, plus ton cheval deviendra obéissant, souple et équilibré. Travailler les transitions lui permet aussi de mieux raccourcir ou de rallonger ses foulées, c'est-à-dire de rassembler ou d'allonger une allure (voir pages 120 et 121).

Le demi-arrêt

Le demi-arrêt consiste à demander au cheval de ralentir momentanément en se rassemblant sans changer d'allure. Pour ce faire, enfonce-toi bien dans la selle et augmente le contact sur les rênes, puis, rapidement, pousse-le en avant. Cela le rend plus attentif et augmente son impulsion, ce qui est utile avant une transition.

Ce cavalier demande un demi-arrêt.

Les transitions montantes

Ce cheval passe du pas au trot.

Les transitions montantes sont le passage d'une allure à une autre plus rapide – de l'arrêt au pas, du pas au trot, du trot au petit galop. Avec un bon entraînement, tu pourras demander une transition montante grâce à des aides très légères qui seront presque imperceptibles aux spectateurs.

Les transitions descendantes

Ralentir peut paraître facile, mais pour ton cheval, réussir une transition descendante fluide est très difficile. Redresse-toi et contracte le dos pour lui indiquer qu'il faut passer à l'allure inférieure, mais veille à ce qu'il ne perde pas son impulsion et son équilibre. Il doit également rester sur le mors. C'est utile de demander un demi-arrêt avant la transition pour qu'il se concentre sur le ralentissement. Comme pour les transitions montantes, plus tu t'entraîneras, plus tes aides deviendront subtiles.

Ce cheval passe en douceur du trot au pas.

Du pas au galop, du galop au pas

À mesure que tes transitions s'améliorent et que ton cheval devient plus sensible à tes aides, tu peux apprendre à passer directement du pas au petit galop et vice versa. Cela montre que ton cheval est équilibré et sur le mors, et qu'il se déplace avec une bonne impulsion.

Du pas au galop

Petit galop régulier

Du galop au pas

Cheval et cavalier passent du pas au galop et reprennent le pas avec fluidité.

1. Pour passer du pas au petit galop, veille à ce que le cheval ait une bonne impulsion. Donne les aides pour le petit galop avec précision : il doit comprendre que tu ne demandes pas le trot.

2. Pour passer du petit galop au pas, fais d'abord quelques foulées au trot entre les deux allures. Continue ainsi le temps que vous soyez, toi et ton cheval, sûrs de la transition.

3. Fais progressivement moins de foulées au trot entre le galop et le pas. Pour que tu maîtrises facilement ces transitions descendantes, ton cheval devra avoir un très bon équilibre.

TRAVAILLER LES ALLURES

Une fois que le cheval a amélioré son équilibre et son impulsion, il est capable, à la demande de son cavalier, de commencer à varier la longueur de ses foulées. Il peut les raccourcir (ce qui s'appelle « rassembler ») ou les allonger.

Les allures rassemblées et allongées

Lorsqu'un cheval rassemble ou allonge, le rythme de sa foulée ne change pas, il fait simplement des foulées plus longues ou plus courtes. Lorsqu'il rassemble, il raccourcit sa foulée, qui couvre moins de terrain ; lorsqu'il allonge sa foulée, il couvre plus de terrain.

Pour un cheval, il est très difficile d'apprendre à allonger ou à rassembler ; il faut donc le lui apprendre progressivement. Si on le presse, il risque de se déstabiliser et de résister. L'apprentissage se fait au trot, car c'est l'allure la plus propice à un bon équilibre.

Au trot, l'allure de base s'appelle le trot de travail. Si les foulées sont plus courtes, il s'agit du trot rassemblé. Si les foulées sont légèrement plus longues, on l'appelle le trot moyen. En pleine extension, c'est le trot allongé. La même gamme existe au petit galop.

Ce cheval fait une démonstration du trot de travail.

Ici, les foulées sont raccourcies : c'est le trot rassemblé.

Au trot moyen, le cheval allonge un peu ses foulées.

Ici, le cheval se met au trot allongé.

Travailler au pas

Le pas de base s'appelle le pas moyen. Les pas rassemblé et allongé existent également, mais ils sont très difficiles à exécuter. Il existe aussi le pas libre : le cheval se détend et étire les muscles de l'encolure sans perdre ni son équilibre ni son impulsion.

Un pas libre bien équilibré

Transitions

Lorsqu'un cheval passe d'une allure rassemblée à une allure allongée ou autre – par exemple, du trot moyen au trot allongé – il s'agit d'une transition même s'il n'y a pas de changement de l'allure. Pour commencer, toutefois, tes transitions ne seront pas complètes, car ta monture va très peu modifier la longueur de sa foulée.

Le trot rassemblé pour débutants

Ce cheval commence à se rassembler, mais il lui manque un peu d'impulsion.

Avant de passer au trot rassemblé, travaille le trot assis jusqu'à ce que le cheval ait un bon équilibre et une bonne action. Puis, avec un demi-arrêt, attire son attention et augmente son impulsion.

Maintiens cette impulsion en gardant les mollets près de ses flancs, mais retiens doucement son mouvement en avant à l'aide de l'assiette et des mains. Il doit raccourcir un peu ses foulées.

Lorsqu'il a réussi quatre ou cinq foulées rassemblées, relâche la pression de tes mains. Remets-le au trot de travail et laisse-le rallonger ses foulées.

Le trot allongé pour débutants

Étape suivante

Quand le cheval allonge ou rassemble à ta demande, tu peux lui faire faire l'exercice plus longtemps (mais pas trop). Peu à peu, demande-lui de raccourcir davantage ses foulées pour obtenir un vrai trot rassemblé et de les rallonger pour obtenir un trot moyen ou allongé. Tu peux aussi commencer à rassembler et à allonger au galop.

Un travail au petit galop rassemblé

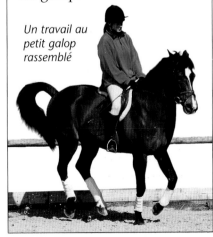

Il est préférable de commencer à allonger les foulées au trot enlevé. Lorsque ton cheval exécute un trot de travail équilibré, laisse-le étirer son encolure en remontant les mains vers sa tête. Toutefois, ne relâche pas les rênes, car cela pourrait lui faire perdre l'équilibre.

À mesure que le cheval étire son encolure, aide-le à maintenir l'impulsion en utilisant tes jambes à la sangle. À ce moment-là, il doit allonger ses foulées légèrement. Après quelques foulées, reprends le trot de travail. Entraîne-toi à demander ces deux trots.

LE TRAVAIL LATÉRAL

Dans le travail latéral, le cheval se déplace de côté aussi bien qu'en avant. Il existe un grand nombre de mouvements latéraux et divers niveaux de difficulté. Lorsque ton cheval accepte tes aides et que tu arrives à l'équilibrer, il est prêt à apprendre certains des mouvements les plus simples.

Les aides latérales

Pour tous les mouvements latéraux élémentaires, on utilise la jambe intérieure et la rêne extérieure. Le secret est d'employer ces aides simultanément, en les coordonnant, de façon à faire comprendre au cheval qu'il doit se déplacer de côté.

Appliquée avec assurance, la jambe intérieure demande le mouvement de côté. Si ton cheval ne répond pas, recule-la légèrement. Le contact sur la rêne extérieure contrôle le mouvement en avant.

Par contre, la jambe extérieure et la rêne intérieure ne servent presque pas, sauf pour certains mouvements (comme l'épaule en dedans).

Ce cheval traverse la carrière latéralement dans un mouvement de cession à la jambe (voir page suivante).

Apprendre le demi-tour sur les épaules

Pour le demi-tour sur les épaules, les postérieurs du cheval décrivent un demi-cercle autour des antérieurs, qui restent en place. Cet exercice n'est pas exigé aux reprises de dressage mais est utile pour ouvrir une barrière. Au début, quand tu l'apprends, ne demande au cheval que quelques pas à la fois.

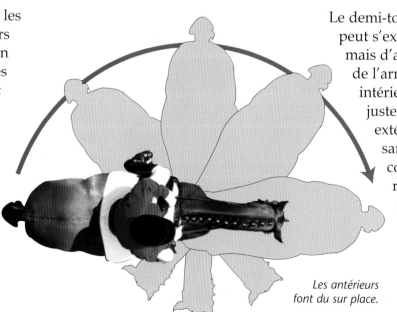

Les antérieurs font du sur place.

Le demi-tour sur les épaules peut s'exécuter à partir du pas, mais d'abord, fais-le à partir de l'arrêt. Applique ta jambe intérieure sur la sangle ou juste derrière. La jambe extérieure est derrière la sangle. Maintiens un contact ferme sur la rêne extérieure pour empêcher le mouvement en avant. Avec la rêne intérieure, fais tourner légèrement la tête du cheval pour l'encourager à pivoter.

La cession à la jambe pour débutants

Ici, le cheval se déplace vers l'avant et en diagonale, l'encolure et le corps sont droits, et la tête est infléchie au niveau de la nuque dans la direction contraire à celle du mouvement. Il est plus facile de demander la cession à la jambe au pas. Le cheval se déplaçant déjà en avant, il suffit de lui demander d'y ajouter le mouvement de côté.

Tourne sur la piste des 5 m, puis emploie les aides de la cession à la jambe pour rejoindre la piste extérieure.

La cession à la jambe vers la gauche : applique une pression ferme de la jambe droite juste derrière la sangle pour demander le mouvement latéral. Utilise le contact sur la rêne extérieure pour contrôler le mouvement en avant. Emploie les aides de la jambe et des mains simultanément de façon que ton cheval se déplace à la diagonale avec régularité.

Il te faudra peut-être le pousser en avant au moyen d'une aide de la jambe extérieure. Tu peux également appliquer une légère pression sur la rêne droite pour faire tourner la tête à droite.

Ici, tu vois le mouvement vers la gauche de l'antérieur droit.

Travailler l'épaule en dedans

Lorsqu'il exécute une épaule en dedans, le cheval avance, mais avec l'épaule tournée dans le sens contraire de la marche. Du fait de cette position, le cheval produit trois pistes d'empreintes au lieu de deux. Demande l'épaule en dedans, d'abord au pas, puis au trot. Pour te faciliter l'exercice, décris au préalable un cercle d'environ 10 m de diamètre dans le coin de la carrière : cela permet au cheval d'être dans la bonne position.

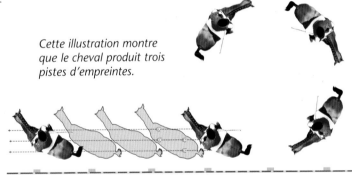

Cette illustration montre que le cheval produit trois pistes d'empreintes.

En te déplaçant, regarde la piste droit devant.

Pour t'aider, tu peux tourner un peu tes épaules dans le sens du mouvement.

Quand tu décris le cercle, au moment où tu te trouves parallèle au mur du manège, fais un demi-arrêt à l'aide de la rêne extérieure. Appuie sur la sangle avec la jambe intérieure. Avec la jambe extérieure, mais sans forcer, fais en sorte que l'arrière-main ne dévie pas de la trajectoire et tire un peu sur la rêne intérieure pour demander le pli de l'encolure vers l'intérieur.

Idéalement, ton cheval doit longer le mur du manège en gardant l'épaule à 30°. Celui-ci forme un angle plus important.

L'ÉTAPE SUIVANTE

À mesure qu'un cheval améliore son équilibre, son obéissance et son rassembler, il devient capable d'exécuter des reprises de dressage plus difficiles. Mais même à un niveau avancé, l'apprentissage doit se faire progressivement.

Ce cheval et sa cavalière exécutent un galop à faux équilibré.

Le galop à faux

Au galop à faux, le cheval galope à la demande sur le pied extérieur au lieu du pied intérieur. Vu que les chevaux galopent naturellement sur le pied intérieur, le galop à faux démontre qu'ils obéissent aux aides et sont bien équilibrés.

Demi-pirouette sur les hanches

Dans cette figure, les postérieurs font du sur place.

Lorsque tu sais faire un demi-tour sur les épaules, tu peux apprendre la demi-pirouette sur les hanches, qui se pratique à partir du pas. Le principe est le même que pour le demi-tour sur les épaules, mais les aides sont différentes et les postérieurs, non les antérieurs, restent en place. C'est plus difficile pour le cheval.

La tête au mur et l'appuyer

La tête au mur et l'appuyer sur la diagonale sont des mouvements latéraux. L'encolure du cheval est légèrement incurvée dans le sens du déplacement.

Pour la tête au mur, les antérieurs et les épaules du cheval se déplacent sur la piste extérieure. Ses postérieurs suivent la piste intérieure à un angle d'environ 30° de la paroi du manège.

Dans l'appuyer, le cheval traverse le manège en diagonale plutôt que de longer la paroi. De ce fait, la difficulté du mouvement est accentuée.

LES CONCOURS

SE RENDRE AU CONCOURS

Il existe une foule de compétitions équestres, mais toutes demandent une préparation soignée. Tu dois te renseigner sur le matériel nécessaire, prévoir un moyen de transport et t'enquérir des démarches à suivre sur place.

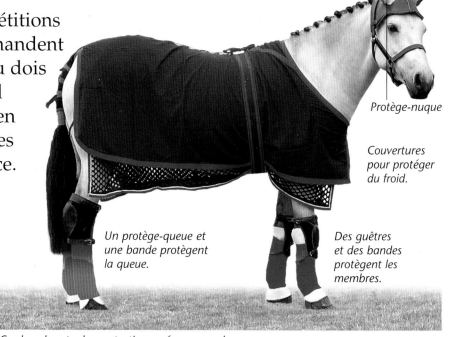

Protège-nuque

Couvertures pour protéger du froid.

Un protège-queue et une bande protègent la queue.

Des guêtres et des bandes protègent les membres.

Ce cheval porte des protections prévues pour le voyage en van.

Le matériel

Chaque compétition nécessite un matériel particulier, parfois une tenue ou présentation donnée : renseigne-toi à l'avance et vérifie que tu as tout ce qu'il te faut.

Pense-bête

✓ Harnachement de rechange

✓ Bandes et guêtres de transport

✓ Licol, longe, couvertures

✓ De l'argent (inscription/téléphone)

✓ Coffre de pansage et de secours

✓ Filet à foin, seau et de l'eau

✓ Tenue d'équitation

Préparer le voyage

Si la compétition a lieu près de chez toi, tu peux peut-être t'y rendre à cheval. Planifie ton itinéraire de façon à être bien dans les temps et à ne pas devoir te presser. Emporte ce dont tu as besoin dans un sac à dos ou arrange-toi pour qu'on te l'apporte en voiture.

Si la compétition a lieu plus loin, il te faudra transporter le cheval dans un van motorisé ou tracté. Certains chevaux n'aiment pas voyager ainsi, c'est pourquoi il vaut mieux l'y habituer avant le jour de la compétition, en suivant les conseils ci-dessous.

Charger un cheval dans un van

Dispose dans le van une litière de paille pour que le cheval ne glisse pas et un filet à foin pour qu'il puisse manger en route.

Mène le cheval sur le pont puis dans le van. S'il veut s'arrêter regarder le pont, laisse-le faire.

Une fois dedans, attache-le : la longe doit être courte. Sors du van par la porte latérale (« de jockey ») et referme-la.

Une personne ayant de l'expérience doit relever le pont, le verrouiller et vérifier que tout est en ordre avant de partir.

En route

Si la compétition est près de chez toi, tu n'auras pas besoin de t'arrêter en route. Si le voyage est plus long, fais une pause à mi-chemin. Ne rentre jamais dans le van tant qu'il n'est pas complètement immobilisé.

L'arrivée

Essaie d'arriver en avance pour avoir le temps de soigner ton apparence et de t'échauffer avant le concours. Si tu es venu à cheval, mets pied à terre et desselle-le à ton arrivée. Si tu as utilisé un van, décharge le cheval et fais-le marcher pour lui dégourdir les membres. Ne le laisse jamais, ni le matériel ou le harnachement, sans surveillance.

Cette cavalière a attaché son cheval au van, mais en cas d'intempéries, il est préférable de laisser les chevaux à l'intérieur.

Installer et préparer ton cheval

Attache ton cheval dans un endroit abrité et, si le temps le permet, donne-lui un petit filet de foin. Donne-lui aussi de l'eau dans son propre seau. Ne partage jamais les seaux et ne laisse pas ton cheval toucher le museau des autres, afin d'éviter tout risque d'infection.

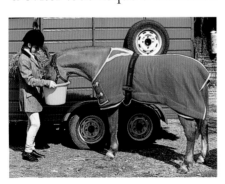

S'il fait froid, le cheval doit porter une couverture pendant qu'il attend.

Lorsque tu as installé ton cheval, rends-toi à la tente des officiels pour te renseigner sur l'heure et l'endroit de ton concours. On te remettra peut-être un dossard que tu devras porter lors de l'épreuve.

Pendant ton absence, laisse ton cheval sous la surveillance d'une personne d'expérience. Si tu as des amis qui participent, c'est une bonne idée d'attacher vos chevaux les uns près des autres, afin de les surveiller mutuellement.

Sois prêt en temps et en heure. Peu avant ton tour, rends-toi dans le paddock de rassemblement. C'est là que tu devras attendre.

Les concours peuvent perturber un cheval, aussi est-il important de le rassurer.

LES PONY GAMES

L es pony games sont des épreuves équestres (courses, jeux). Ils se déroulent souvent lors d'exhibitions ou de concours hippiques. Le principal but des pony games, c'est généralement de s'amuser, mais ils offrent aussi l'occasion de faire des progrès en équitation. Pour réussir, il te faut précision, rapidité et une bonne entente avec le poney. Certes, les jeux et les règles peuvent différer d'une compétition à l'autre, mais les plus prisés sont décrits sur cette page.

Ces cavaliers participent à une course de « pony club ». Le but du jeu est de rassembler, puis d'accrocher les lettres formant les mots « pony club ».

Le passage à gué

Tu galopes jusqu'à une rangée de « pierres de gué », tu descends, tu cours le long des pierres et finis à cheval.

La course en sac

Tu galopes jusqu'à ton sac, tu descends et tu entres dedans. Puis, tu mènes le poney jusqu'à l'arrivée en sautillant.

La balle dans le seau

Tu ramasses des balles et tu les déposes dans un seau. Lorsque tu les as toutes, tu te précipites vers l'arrivée.

L'entraînement

Aux pony games, la clé du succès est l'entraînement. Le poney et le cavalier doivent être en forme et ils doivent savoir ce qu'ils ont à faire. Si un jeu demande un matériel particulier, le poney doit y être habitué, sinon il risque d'avoir peur.

Les jeux d'équipe

Pour certaines compétitions, les cavaliers sont en équipes. La plupart des poney-clubs et certains centres équestres ont une équipe : en faire partie représente un bon moyen de perfectionner tes connaissances de ce type de jeux. L'entraînement régulier aide aussi à garder sa forme physique.

Pour participer aux pony games, les poneys ont besoin d'être calmes, assurés et obéissants. Pour réussir aux jeux d'équipe, ils doivent également aimer la compagnie d'autres poneys.

À terre à cheval et voltige

Dans la plupart des jeux, tu gagnes du temps si tu sais descendre de ton poney alors qu'il continue d'avancer (à terre à cheval). Il est utile de pouvoir le faire des deux côtés.

Certains cavaliers apprennent aussi à sauter en selle sans que le poney s'arrête (la voltige). C'est difficile, mais cela fait gagner du temps par rapport à la mise en selle classique.

À terre à cheval

Éjecte-toi de la selle en t'écartant du cheval. *À l'atterrissage, mets-toi à courir.*

La rêne d'appui

Il est plus facile de porter des objets lors d'un jeu en sachant se servir de la rêne d'appui, à la western (voir pages 58 et 59). Avec un harnachement classique toutefois, il faut d'abord raccourcir les rênes.

Raccourcir et tenir les rênes

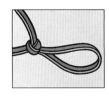 

Noue les rênes un peu au-dessus du garrot du poney. *Saisis le nœud d'une main, paume vers le bas.*

L'EXHIBITION WESTERN

Une exhibition western comporte différentes catégories, ou « classes », selon le type de cheval. Des jeux équestres s'y déroulent aussi souvent. Aux États-Unis, ces exhibitions sont courantes. Ailleurs, les associations d'équitation western organisent parfois des manifestations ou donnent des informations à leur sujet (page 144).

Ce cheval et sa cavalière sont en tenue d'exhibition.

Les classes

Les classes sont conçues de façon à mettre à l'épreuve le cheval et son cavalier. Les concurrents peuvent participer aux classes western riding, pleasure et trail.

Le cheval de western riding doit se montrer complet. Cette classe met à l'épreuve son dressage et son action. La position du cavalier et l'emploi des aides sont également jugés.

Un cheval de pleasure doit se montrer agréable à monter. Il doit défiler au pas, au jog et au lope. On le juge sur son comportement, sa performance et son apparence, ainsi que sur son harmonie avec son cavalier.

Un cheval de trail est jugé sur son comportement et ses aptitudes. Il doit être calme et obéissant, et avoir une bonne action au pas, au jog et au lope. Il lui faudra aussi négocier des obstacles naturels et porter des objets encombrants.

La cavalière de gauche participe à une classe pleasure. Dans cette classe, le cheval doit faire preuve d'une parfaite obéissance aux aides.

Les jeux

On pratique de nombreux jeux dans les concours western. Certains ressemblent aux jeux des pony games (décrits pages 128 et 129), mais d'autres sont conçus pour mettre à l'épreuve les techniques western comme l'utilisation de la rêne d'appui. La course de tonneaux (barrel racing) est l'un des jeux les plus populaires, ainsi que la course aux fanions (flag race) et la course de la serrure (keyhole race).

La course de la serrure

Dans ce jeu, une forme de serrure est tracée au sol avec de la farine. Pendant la course, le cheval ne doit pas mettre le pied en dehors de la serrure. S'il le fait, il crée un nuage de farine.

Tout commence par une course jusqu'au cercle. Là, le cheval s'arrête, tourne, puis revient à l'arrivée au grand galop.

La course de tonneaux

Trois tonneaux sont disposés en triangle dans l'arène. Le but est de les contourner et, en suivant un parcours en forme de trèfle, de rejoindre l'arrivée le plus vite possible. C'est un jeu d'adresse et de rapidité – plus tu serres les virages, plus tu termines le parcours rapidement.

Dans la course de tonneaux, on fait le tour des tonneaux suivant le tracé d'un trèfle.

L'épreuve de reining

Ce cheval effectue un arrêt glissé.

Cette épreuve est l'équivalent western des reprises de dressage (voir pages 134 et 135). Le cheval réalise des figures particulières, dont des arrêts et virages spectaculaires, des transitions et des changements de pied.

La course aux fanions

Le but du jeu est de ramasser plusieurs drapeaux par leur hampe et de les déposer dans un récipient sans descendre de sa monture. Dans l'épreuve individuelle, on ramasse tous les fanions soi-même, un à la fois. Lorsqu'il s'agit d'un jeu d'équipe, chaque membre ramasse un fanion.

LE CONCOURS HIPPIQUE

Les concours de saut d'obstacles permettent de tester les compétences du cheval et du cavalier. Tout cavalier capable d'effectuer un parcours (voir pages 108 et 109) doit pouvoir trouver un concours à son niveau. Tu peux également apprendre beaucoup en tant que spectateur de compétitions, à la télévision ou sur le terrain.

Les obstacles du concours

Les obstacles du concours hippique ressemblent aux obstacles que tu construis toi-même. Ils sont hautement colorés et tombent facilement si un cheval les heurte. Ils sont disposés de façon différente pour chaque épreuve du concours. Les participants doivent les franchir dans le bon ordre, bien qu'ils aient le droit de choisir leur propre trajectoire pour effectuer le parcours. Une trajectoire plus longue est plus facile, mais plus courte, elle te fait gagner des secondes précieuses. Les fautes entraînent des pénalités (voir page suivante).

Les épreuves pour débutants

Les niveaux sont habituellement définis par divers facteurs dont l'âge, l'expérience ou la taille du cheval. Un concours local comporte souvent plusieurs épreuves pour débutants.

Il existe des niveaux de « galop » adaptés et réservés aux cavaliers et aux poneys débutants. Les épreuves reposant sur le « sans faute » sont aussi adaptées aux débutants : les concurrents font le parcours une seule fois. S'ils l'effectuent sans faute, ils gagnent une rosette.

La précision est plus importante que la vitesse dans une épreuve de « sans faute ».

Autres épreuves

Habituellement, les cavaliers ayant davantage d'expérience participent aux niveaux novices ou intermédiaires. Une épreuve « open » est la plus difficile. Comme aucune restriction limite la participation, des cavaliers de grande expérience peuvent y participer.

Pour les niveaux avancés, les obstacles sont plus grands. Ils forment également des combinaisons plus difficiles, nécessitant une stratégie bien pensée et une grande précision de la part des concurrents.

Les règles et les pénalités

La plupart des épreuves comportent deux tours de piste. Le but du premier est de faire un sans faute. Toute faute, telle qu'un refus, est sanctionnée.

Les concurrents qui réussissent le premier tour passent au second, appelé le « barrage ». Il s'agit d'un parcours plus court, mais avec des obstacles plus hauts. Les concurrents sont chronométrés. Le vainqueur est donc le plus rapide sans faute.

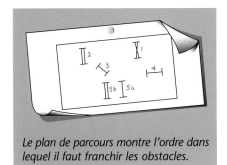

Le plan de parcours montre l'ordre dans lequel il faut franchir les obstacles.

Si ton cheval refuse, tu dois retenter de franchir l'obstacle.

Les fautes sont sanctionnées par des points de pénalité :
• 3 points pour un premier refus, une dérobade ou un cercle devant l'obstacle ;
• 4 points pour une barre renversée ;
• 6 points pour un deuxième refus.
Les concurrents sont éliminés au troisième refus, en cas de chute, pour une erreur de parcours, pour avoir commencé avant le signal de départ ou ne pas être passés par le départ ou l'arrivée.

Le saut d'équitation

Dans le saut d'équitation, on juge aussi bien le style que les fautes, ce qui en fait un bon exercice pour la technique.

Ce cavalier accompagne le mouvement de la monture.

Ce cheval a bien ployé les antérieurs afin de franchir proprement cet oxer droit.

Un obstacle large aux barres parallèles (oxer droit) est difficile à franchir, car la barre située devant est aussi haute que celle qui est située derrière.

LE DRESSAGE

Un concours de dressage s'appelle une reprise. Le but d'une reprise de dressage est de démontrer l'harmonie entre le cheval et son cavalier ainsi que l'adresse de chacun. Les reprises ne durent que cinq minutes environ, mais elles sont très éprouvantes. Il faut plusieurs mois pour s'y préparer.

En compétition

En France, les reprises de dressage sont divisées en quatre catégories : D, C, B, A en ordre ascendant. D'habitude, les débutants commencent au niveau préparatoire (E).

Les centres équestres et les poney-clubs fournissent généralement tous les détails concernant les concours. Y participer est un bon moyen d'évaluer tes progrès. C'est aussi un lieu idéal pour observer d'autres cavaliers.

Dans une reprise de concours, on exécute une série de mouvements déterminés. Ces derniers changent d'une reprise à une autre, mais tu peux vérifier ce qui est demandé en écrivant aux organisateurs.

Présentation

Pour une reprise, l'élégance du cheval et du cavalier est essentielle. Tenue et harnachement doivent être conformes aux règles du concours, et le cheval doit être bien pansé.

La notation

À la fin d'une reprise, les concurrents reçoivent une feuille de notation avec les appréciations des juges. On attribue à chaque mouvement une note de 0 (mouvement non exécuté) à 10 (excellent). Les juges donnent aussi une note pour l'impression générale.

Ce cheval et sa cavalière participent à une reprise préliminaire.

Les reprises de dressage de haute école

Les cavaliers en catégorie A utilisent une selle de dressage et une bride double qui leur offrent un meilleur contrôle. Leurs montures ont atteint un excellent niveau d'obéissance et de rassembler (voir pp. 120-121). Ils exécutent des mouvements très difficiles, dont certains sont illustrés ici.

Ce cavalier exécute une demi-pirouette sur les hanches au galop.

Le cheval réalise un demi-cercle au galop, sans avancer, ni reculer.

Le piaffer

Le piaffer est un mouvement léger et sautillant.

Le piaffer ressemble à un trot sur place. Le cheval saute en rythme régulier d'une diagonale sur l'autre, avec un temps de suspension marqué entre chaque battue.

Le passage

Le passage est un mouvement fluide.

Le passage est un trot lent, très relevé. Le temps de suspension est long, ce qui donne une impression de ralenti à l'ensemble.

Changement de pied en l'air

Il faut un « timing » impeccable pour ce mouvement.

Le changement de pied en l'air est un changement de pied effectué au galop, pendant le temps de suspension, sans passage par le pas ou le trot.

LE CROSS-COUNTRY

Le cheval et le cavalier franchissent un obstacle de parcours de cross-country.

Un concours de cross-country se déroule au grand air. Les concurrents passent à travers champs, forêts, sur des côtes ou le long de sentiers sauvages, avec des obstacles naturels à négocier en chemin.

Obstacles divers

Voici certains obstacles courants.

Un échalier nécessite un abord précis.

Un mur en pierre présente une ligne au sol bien définie.

Un V renversé peut cacher un fossé.

Bull-finch : le haut est broussailleux et souple.

Les barres parallèles sont difficiles à juger.

Les obstacles en contrebas présentent une dénivellation.

Les parcours de cross-country

En compétition de cross-country, les obstacles sont disposés sur de plus grandes distances que dans le saut d'obstacles. Le parcours peut s'étaler sur plusieurs prés, par conséquent tu ne verras sans doute pas tous les obstacles au premier regard.

Les obstacles sont en matériaux naturels et se trouvent sur toutes sortes de terrain, même sur des pentes ou près de fossés. En général, ils sont solides et ne tombent pas quand on les heurte. De ce fait, seuls les chevaux et les cavaliers expérimentés doivent s'y risquer.

Ces cavaliers participent à une épreuve de doubles. En franchissant l'obstacle, le premier encourage le deuxième à suivre.

Terrains divers

Un parcours traverse toutes sortes de terrains. En pente, le cavalier doit se méfier d'aller trop vite et d'épuiser sa monture, et éviter les terrains très boueux ou durs qui risquent d'abîmer les membres du cheval. Bon nombre d'obstacles sont placés sur des pentes, ce qui nécessite un abord soigné.

Ce cheval fait un saut très puissant hors de l'eau.

Plan de parcours

Avant le début du concours, les cavaliers reconnaissent le parcours à pied et étudient la meilleure trajectoire. Les concurrents peuvent aborder le même obstacle de façons très différentes, comme le montre cette illustration.

Les participants doivent rester à droite des drapeaux blancs et à gauche des drapeaux rouges.

Il y a deux façons de négocier la combinaison illustrée ci-dessus. Le parcours long en bleu est beaucoup plus facile que le parcours court tracé en rouge. Les concurrents peuvent toutefois gagner du temps s'ils sont capables de réussir le parcours difficile.

Ce cavalier gagne du temps en franchissant cet obstacle dans l'angle.

Autres manifestations

Le cross-country est une des épreuves du concours complet (voir pages 138 et 139), avec le saut d'obstacles et le dressage. Il existe également des manifestations de cross-country non compétitives. Ces dernières comprennent normalement des parcours plus courts et des obstacles plus faciles, en quoi elles sont idéales pour les cavaliers peu expérimentés.

Un tronc d'arbre comme celui-ci représente un obstacle solide : c'est un bon moyen de s'initier au cross-country.

LE CONCOURS COMPLET

L e concours complet sur trois jours comprend dressage, cross-country et saut d'obstacles, en fait trois concours réunis en un seul. Un concours a lieu chaque jour, nécessitant de la part des concurrents des compétences dans tous les domaines et beaucoup de résistance. Le concours complet sur un ou deux jours est aussi très prisé.

Ce cheval et sa cavalière participent à une reprise de dressage le premier jour d'un concours complet.

Sur place

Le premier jour, les concurrents participent à une reprise de dressage. Le deuxième jour a lieu un concours de vitesse et d'endurance, comprenant le cross-country, le troisième, c'est le saut d'obstacles.

Ce cheval et cette cavalière s'apprêtent à participer à une reprise de dressage, ce qui exige une présentation élégante.

Comme les bandes sont interdites lors des reprises, un assistant les enlève.

Premier jour

Pour la reprise de dressage, les concurrents doivent réaliser une série de figures programmées. Le style et l'obéissance sont notés sur dix. Ensuite, la note de chaque participant est transformée en points de pénalités. Mieux on a réussi, plus on finit avec un score bas.

Lorsque l'épreuve de dressage est terminée, les concurrents commencent à préparer la deuxième journée. Ils reconnaissent le terrain du cross-country à pied, afin de préparer leur parcours. Puis ils décident de l'allure à laquelle ils doivent aborder certains endroits de manière à ne pas épuiser leur cheval.

Deuxième jour

Le deuxième jour est divisé en quatre phases destinées à mettre à l'épreuve la résistance des concurrents. La première, « routes et sentiers », est un parcours de plusieurs kilomètres qui n'a pas pour objectif la vitesse. Cette épreuve est suivie du steeple-chase : un parcours chronométré, jalonné d'obstacles d'hippodrome.

Puis, il y a encore un tronçon de routes et sentiers. On finit par un parcours de cross-country. L'objectif est de franchir tous les obstacles sans faute en un temps donné afin d'éviter les pénalités. Les obstacles comportent souvent des dénivellations ou plans d'eau spectaculaires, qui rendent le spectacle passionnant.

Troisième jour

Les sauts comme celui-ci mettent à l'épreuve la précision du cheval et du cavalier.

Sauter hors de l'eau ralentit un cheval, c'est pourquoi il a besoin d'une bonne impulsion pour exécuter un saut comme celui-ci.

Le saut d'obstacles met à l'épreuve la forme physique, la précision et les aptitudes. En général, les obstacles ne sont pas très difficiles, mais il est éprouvant pour un cheval et un cavalier fatigués de terminer le parcours sans pénalités.

À la fin des trois jours, toutes les notes sont additionnées. Celui qui détient le score le plus bas (avec le moins de pénalités) est le gagnant.

Sur un ou deux jours

Bien que les concours de haut niveau se déroulent en général sur trois jours, il existe également des concours d'un ou deux jours. Au niveau des poney-clubs et des centres d'équitation, le concours se déroule sur une journée. Pour les cavaliers qui n'ont jamais participé, ces concours offrent un bon moyen de s'entraîner et d'acquérir de l'expérience.

LES CONCOURS D'ÉLÉGANCE

En concours d'élégance, les chevaux sont jugés sur l'apparence, le comportement et les allures. Les compétitions sont divisées en classes, suivant la race, la taille et l'âge des chevaux. C'est un lieu où on peut observer des chevaux de qualité et en apprendre beaucoup sur les races.

Un concours de présentation est l'occasion de voir différentes races.

Au concours

Il y a différentes catégories correspondant à tous les types de chevaux, du Pur-sang au poney familial. La plupart des manifestations séparent les chevaux et poneys en différentes classes.

Le juge examine attentivement le cheval ou le poney.

Le poney familial

La classe « poney familial » est populaire parmi les débutants. Le poney doit se montrer bon en tout et il peut être monté par plus d'un membre de la famille. On juge surtout sa performance quand il est monté, plutôt que son apparence.

Harnachement et tenue

La classe « harnachement et tenue » offre un bon point de départ pour un cavalier débutant. Dans cette catégorie, le jugement porte sur le soin apporté à la présentation – le cheval doit être bien pansé, son harnachement impeccable et le cavalier élégant.

En concours d'élégance, comme ici, la crinière des chevaux est tressée et les cavaliers portent veste et cravate.

Poneys de selle et concours

C'est une catégorie pour poneys sélectionnés avec soin, souvent croisés avec le Pur-sang.

Ce poney de selle a une confor- mation et des caractéristiques raffinées.

Au début, tout le monde monte ensemble. Puis chaque cavalier fait une démonstration indivi- duelle des allures (pas, trot et petit galop). En classe « cheval de selle », le juge monte le cheval. Enfin, il examine chaque cheval ou poney.

Hunters de concours

Classe réservée aux chevaux et poneys plus lourds que ceux de selle et de concours. Le « hunter de concours » doit avoir la force de galoper en campagne toute une journée, comme s'il participait à une chasse. Sa présentation en concours est similaire à celle des chevaux de selle et de concours, sauf qu'il doit en plus être monté au grand galop.

La cavalière a dessellé son cheval pour l'inspection finale des juges.

Un poney « hunter de concours ». Ce sont des chevaux raffinés, mais ils sont aussi très puissants.

Chevaux et poneys « hunter de travail »

Ces poneys sont un peu plus lourds et leurs caractéristiques moins fines que les hunters de concours. On les juge au saut ainsi que sur leur conformation et leur allure.

Les « hunters de travail » doivent franchir une série d'obstacles de type rustique.

Ce « hunter de travail » est bien présenté et doté d'un harnachement simple et pratique.

L'épreuve de saut a lieu en premier. Les concurrents qui font un sans-faute effectuent les différentes allures en groupe. Pendant que les chevaux sont montés par le juge, les poneys sont présentés individuel- lement par leur cavalier. Pour terminer, les chevaux ou les poneys défilent l'un après l'autre devant le juge. C'est ce que l'on appelle mener le poney à bout de rênes.

GLOSSAIRE

La terminologie de l'équitation est assez vaste. Ce glossaire explique certains termes courants utilisés dans ce livre. Les mots en *italique* font l'objet d'une explication ailleurs dans le glossaire.

Aides – les signaux donnés par le cavalier à sa monture pour lui indiquer sa volonté. Les signaux en provenance des mains, du bassin et des jambes sont les aides naturelles. Les cravaches et les éperons s'appellent aides artificielles.

Allonger une allure – lorsque le cheval allonge ses foulées sans en changer le rythme.

Allures – les diverses façons de se déplacer du cheval. Il existe quatre allures. En *équitation classique*, elles s'appellent le pas, le trot, le petit galop et le galop. En *équitation western*, le trot s'appelle le jog et le petit galop s'appelle le lope.

Assiette – la façon dont le cavalier est assis dans la selle et comment il y répartit son poids.

Bombe – chapeau dur qui protège la tête du cavalier.

Bridon ou filet – bride à une paire de rênes comportant un mors à embouchure brisée.

Carrière – comme le *manège*, mais en *extérieur*.

Cheval – un terme général pour désigner un cheval ou un *poney*.

Conformation – manière dont sont structurées les différentes parties d'un cheval.

Curer les pieds – enlever les cailloux et la saleté des sabots d'un cheval.

Demi-arrêt – lorsque le cavalier demande un bref ralentissement à sa monture, sans changer d'*allure*, pour la maintenir aux ordres.

Dérobade – embardée du cheval sur le côté.

Diagonale – les membres diagonaux d'un cheval qui se déplacent simultanément au trot. Au *trot enlevé*, on parle du levé du cavalier sur la diagonale gauche ou droite.

Dressage – une discipline d'équitation où le cheval exécute des mouvements convenus en réponse à des *aides* précises.

Équitation classique – la monte à l'européenne, les étriers chaussés haut, les deux mains sur les rênes.

Équitation western – la pratique de monter à l'américaine, les étriers chaussés long et les rênes tenues d'une main.

Extérieur – du côté convexe du tracé décrit par un cheval qui tourne.

Galop à faux – lorsque le cheval galope sur une courbe en menant avec le pied *extérieur*.

Galop désuni – *allure* défectueuse : lorsque le cheval galope d'un côté des antérieurs et de l'autre des postérieurs.

Harnachement – ensemble des pièces qui composent le harnais.

Impulsion – l'énergie dégagée dans les foulées d'un cheval.

Intérieur – le côté concave du tracé d'un cheval qui tourne ou qui fait une volte.

Latéral (mouvement) – (mouvement) de côté.

Longer – la pratique de faire tourner un cheval au bout d'une longue rêne, appelée longe, tenue par une personne au sol.

Main gauche – être à main gauche signifie qu'on tourne vers la gauche dans le sens contraire des aiguilles d'une montre. À main droite signifie par contre qu'on tourne vers la droite.

Manège – un espace clos à l'intérieur où les cavaliers s'entraînent.

Maréchal-ferrant – un professionnel spécialisé dans le pied du cheval : il pare et ferre les sabots.

Martingale – une courroie en cuir attachée à la bride qui empêche le cheval de lever la tête trop haut.

Mors de filet – mors doux qui agit sur les commissures des lèvres.

Pied meneur – c'est le pied antérieur qui est projeté plus loin que l'autre au galop. Le cheval peut mener avec le gauche ou le droit indistinctement, sauf dans les tournants, où il doit mener avec le pied *intérieur*.

Poney – un *cheval* qui mesure 1,47 m au garrot ou moins peut être appelé poney.

Pony games – compétition de jeux équestres.

Position en avant – la position du cavalier au saut. Il se met en équilibre dans les étriers afin de soulager le dos du cheval.

Race – un type de cheval ou de poney particulier. Si les deux parents d'un cheval sont de la même race, il est de race pure. S'ils sont de races différentes, il est croisé.

Rassembler – c'est le raccourcissement des foulées d'un cheval sans changement de rythme.

Refus – lorsqu'un cheval s'arrête net devant un obstacle.

Rêne d'appui – la rêne utilisée en *équitation western*, tenue à une main, qui permet de tourner par le contact sur l'encolure du cheval.

Rêne gauche – c'est la rêne qui est située du côté gauche du cheval.

Reprise – dans la terminologie du *dressage*, c'est une action que le cavalier demande au cheval d'effectuer, telle qu'une *transition*, ou une incurvation.

Rétivité – lorsque le cheval refuse d'avancer ou d'obéir à son cavalier.

Transition – un changement d'*allure*. En *dressage*, c'est aussi un changement effectué dans l'*allongement* ou le *rassembler* des foulées du cheval.

Trot assis – le cavalier reste assis pendant que le cheval trotte.

Trot enlevé – un trot où le cavalier se lève hors de la selle au rythme du mouvement de sa monture.

INDEX

ADRESSES UTILES

Si tu veux des renseignements concernant les centres équestres, les concours ou les normes de sécurité en vigueur, les organismes suivants pourront sans doute t'aider :

FRANCE
Association Française d'Équitation Western (AFEW)
14, rue de la Jacterie
27160 La Gueroulde
Tél. : 04 67 73 44 87
Tél./Fax : 02 32 34 88 09
E-mails : afew@afew.fr
        afewsecretariat@afew.fr
Site Web : www.afew.fr

Fédération Française d'Équitation (FFE)
81, avenue Edouard Vaillant
92517 Boulogne cedex
Tél. : 01 58 17 58 17
Fax : 01 58 17 58 00
Site Web : www.ffe.com

Délégation Nationale à l'Équitation sur Poney (DNEP) (Poney Club de France)
Fédération française d'équitation

81-83, avenue Edouard Vaillant
Immeuble le Quintet
92517 Boulogne Billancourt Cedex
Tél. : 01 58 17 58 17

Société Hippique Française (SHF)
21, rue du Sentier
75002 Paris
E-mail : shf.services@shf.eu
Site Web : www.shf.eu

CANADA
Fédération Équestre du Québec
4545, av. Pierre-De Coubertin
Case postale 1000, Succursale M
Montréal, Québec H1V 3R2
Tél. : 514 252-3053
Fax : 514 252-3068
Numéro de téléphone sans frais :
1-866-575-0515
E-mail : infocheval@feq.qc.ca
Site Web : www.feq.qc.ca

BELGIQUE
Fédération royale belge des sports équestres
Avenue Houba de
    Strooperlaan 156
1020 Bruxelles
Tél. : 02/478 50 56
Fax : 02/478 11 26
E-mail : info@equibel.be
Site Web : www.equibel.be

SUISSE
Fédération suisse des sports équestres (FSSE)
Case postale 726,
Papiermühlestrasse 40h,
CH - 3000 Berne 22
Tél. : 031 335 43 43
Fax : 031 335 43 58
E-mail : info@fnch.ch
Site Web : www.fnch.ch

Nous remercions Anna Claybourne

Nos remerciements vont également aux modèles Katie Birch sur Jake, Allison Higgins sur Jessica, Carly Alder sur Bobby's Girl, Kate Furzer sur Honey, Terri Perry sur Wellie et Max, Danielle Reddan sur Alfie, Zoe Reddan sur Styllo, Philippa Reed sur Lucy et Solly, Ciara Gourley sur Fionnula, Brook et Carly, Victoria Moore sur Sonny, Ricky Cooper et Copperfield's Nutmeg, Victoria Barry sur CJ, Alison Berman sur Squirrel Nutkin, Nicola Ridley sur Happy et Amy Cummings sur Flo-Jo, et Sam Waters pour la photographie de couverture. Nous remercions aussi les modèles qui ont paru dans « L'école d'équitation » des Éditions Usborne. Merci à l'Aldborough Hall Equestrian Centre, Ilford ; Pantile Hall, Brentwood ; the Talland School of Equitation, Cirencester, et Rodeo Dave, Croydon, pour l'utilisation de leurs installations. Merci à Janette Moss Horsewear, Waltham Abbey, pour l'utilisation du harnachement. Merci à Richard J. Goodwin et à la Western States Trail Foundation pour les photographies des cavaliers de la Coupe Tevis aux pages 92-93.